文化行政50年の軌跡と
文化政策

中岡 司

悠光堂

はじめに

　我が国に「文化の振興及び普及並びに文化財の保存及び活用を図るとともに、宗教に関する国の行政事務を行なうこと」を任務とする組織として文化庁が誕生したのは昭和43年6月15日のことである。それから時代の変遷とともに組織体制は変化し、平成30年には50周年を迎えた。

　文化庁創設間もない頃に執筆された書物を見ると「交通手段の発達とマスコミの拡大化に伴い、島国である日本も含めて世界は同質化的な方向に進むものと思われる」と述べ、来るべきグローバル化時代を予測した上で、「そのような時代であればこそ我が国の伝統的文化については、これを国民の宝として保存し末永く将来にわたって発展させ、ヨーロッパ的文化(注1)についてはその振興普及のための具体的施策を強力に推進するとともに、その上に立って文化の国際交流を拡大し、我が国の文化を諸外国の人々に理解してもらい、また、我が国の文化水準向上のための刺激とするという方向に今後の文化行政推進の方向があろう。」と述べる。既にこの時点で、我が国の固有の文化を盛り立て、芸術文化(注2)の振興、さらには国際交流や文化発信といった現在につながる文化政策の基本的方向性を示している。

　一方、「文化庁予算は、我が国の一般会計予算14兆2,800億円の1,000分の1であり、また、ヨーロッパ先進諸国と比較しても、文化予算は、まだ極めて微々たるものといわざるをえない」と述べ、文化行政の遂行のために先進諸国並みの文化予算の必要性を強く訴えている。令和の時代に入って日本の一般会計予算は100兆円を超えるが、この1,000分の1という文化予算の規模は多少の増減はあるものの50年経った今も大きな変化はない。

　しかし、この50年間に文化行政の捉えるべき文化の範囲は大きく広がり、社会状況の変化に伴って文化行政自体も常に変化を求められてき

た。とりわけ昨今、国の経済政策の影響を受け、文化庁に対し他省庁の行政分野も俯瞰して総合的に文化行政を推進すべき任務が強く求められる局面に差しかかっており、文化庁は50年を経て文化行政の飛躍に向けた一つの転換点に立ったと言えるのではなかろうか。

　本書では、我が国の文化政策と文化行政の構造を概観した上で、これまでの文化行政の軌跡を顧み、社会の変化や政府の経済政策を背景として、文化行政の在り方を変容させた最近の文化行政改革の動きを考察する。

令和3年6月

注
1　文化庁発足当時、国の文化政策は、伝統的な文化の保存、活用のための方策とヨーロッパ的な文化の振興を促進するための方策の両者について、有機的で均衡のとれた施策をとる必要があるとされた。ここでいうヨーロッパ的な文化とは文化庁発足前の文部省文化局で所掌された芸術文化のことである。
2　文化行政に係る用語として「芸術文化」と「文化芸術」という言葉があるが、このうち「芸術文化」は「芸術」と同義もしくは「芸術に焦点を当てた文化」という意味で使われているのに対し、「文化芸術」という場合は、文化芸術基本法において使われている「文化芸術」すなわち音楽、美術、演劇等の「芸術」や能楽、歌舞伎等の「伝統芸能」、華道、茶道、書道、食文化等の「生活文化」、囲碁・将棋等の「国民娯楽」、出版・レコード等の「著作権」、「文化財」などとして捉えられている。

目次

第 **1** 部

文化政策と文化行政

　文化庁が関わる文化政策を語る上での「文化政策」を定義するとすれば、国または地方公共団体といった公権力の主体が策定する、文化に関する理念や達成目標、それを実現するための計画、方針、制度、予算などの各種施策を言い、また、「文化行政」とは、公権力を背景とするこれら「文化政策」について、行政機関としてその策定や実施に関わる営みであると言えよう。

　「文化政策」をより広義に解し、国や地方公共団体の文化政策の在り方やそれらが策定する制度や予算に反映されることを期待して公権力を背景とせず表明される提言なども文化政策として捉えることもできる。例えば政党その他の政治団体、党派を超えた議員集団、文化芸術団体などの団体や個人が文化政策を発表する場合がある。

　国の「文化政策」の具体例としては、文化庁が行う文化芸術基本法に基づく文化芸術推進基本計画の策定や、文化関係法制の整備、各年度の予算作成などがある。これらの文化政策と政府全体の政策方針（いわゆる骨太方針や知的財産推進計画等）に記載される文化関連政策との関係は、それらの方針がまずあって個々の文化政策が下位に位置付く上意下達のものではない。政府全体の政策方針に掲げられる文化政策は、政府全体の政策方針の策定に向けて調整役を担う内閣官房と個々の文化政策を担当する文化庁をはじめとする関係省庁との文言調整（いわばキャッチボール）の成果物であり、企画・立案された政策や個々の事業の中で、その年度の政府全体の政策方針において特に重点とすべきものが整理されている。このことにより、政府全体の政策方針と文化政策がメリハリを付けつつ整合性がとれたものとなるのである。

　文化政策は、政府全体の政策方針や社会情勢の変化に対応し、国や地方公共団体の様々なレベルで取組まれる個々の政策の企画・立案の積み重ねであり、相互に関連しつつ推進されるものである。そ

こで、第1部では、我が国の文化政策の姿を理解するために、国の文化政策策定の取組経緯や文化政策に関わる仕組についてその要点を述べる。

第 **1** 章　文化庁の 文化政策策定の取組

第1節　初期の文化政策策定の取組

　国の文化政策を理解する上で念頭に置いておくべきことは、戦後の国の文化政策に対する姿勢である。第2章第2節第1項でも触れるが、戦時中の反省に立ち、特に芸術文化振興を中心に極めて慎重であった。文部大臣の諮問機関である中央教育審議会において文化政策関連の審議が行われることはあったが、文化行政全般を捉えるものではなかった。

　文化庁創設7年を経た昭和50年になると、社会・経済情勢の変化等を背景に新しい見地に立った長期的な文化行政の展望を持つことが要請されているとの考えから、文化庁長官の私的諮問機関[注1]として「文化行政長期総合計画懇談会」を発足させ、昭和52年に、今後10年〜20年先を見通した文化行政の在り方を示す「文化行政長期総合計画」がとりまとめられた。この文書はあくまでも懇談会の名においてまとめられたものではあるが、文化行政全般に及び、これまでの文化行政を振り返って、欧米文化の摂取に急なあまり我が国固有の文化の振興や普及が不十分であったこと、伝統文化と新しい文化の両方の施策には調和のある展開が必要であること、及び中央中心の文化行政であって地方文化の振興が不十分であったことなどを指摘している。そして、現状その目標となる基本的な法制がないことにかんがみ文化の普及・振興に係る基本的事項を定めた法律の制定を検討すべきことを提言する。

昭和54年には、これからの国家のありようを見据え、当時の大平正芳総理大臣の委嘱を受けて「文化の時代研究グループ」が発足する。昭和55年に発表された「文化の時代研究グループ報告書」では、上記懇談会と同様の認識に立ちつつも、「わが国は戦後の再出発に当たり、文化国家を標榜し、文化の振興によって国家の再建と発展を図るという姿勢を強く打ち出したにもかかわらず、以後今日に至るまで、そのことを国の基本的な政策目標の一つとして確立し、そのための法的基盤として文化の振興に関する基本法を制定することについては、その努力を怠ってきた」と断じ、明治以来の教育中心の文化政策を批判的に捉えている。確かに、新憲法の制定によって民主主義、平和主義の原理に基づく文化的国家建設の基礎が築かれ、制定当時の**教育基本法**前文において、「この理想の実現は、根本において教育の力にまつべきもの」とされたものの、文化を尊重し、文化の振興を第一の任務とする国家としての基本法が無かったのである。そして、「文化振興の法的基盤として『文化振興法』を制定」するとともに、「各省庁の横断的な協力の下に、文化面の施策を総合的に調整し、かつ、文化振興戦略の中枢機関として機能するような体制づくりを長期的に検討することが望ましい」旨提言した。

　平成の時代に入ると、元年に長官の私的諮問機関として「文化政策推進会議」を設置し総合的な政策の策定に着手する。この会議では数次にわたって報告や提言が行われたが、21世紀を目前に控えた平成10年の提言を踏まえ、行政機関である文化庁として画期的な方針となる「文化振興マスタープラン」を策定する。

　このプランにおいては、文化を、人として生きる証であり生きがいであり、コミュニティを形成し社会全体の心の拠り所であるとする。さらにそれ自体固有の意義を有し、国民性を特色付け、国民共通の拠り所であると述べる。その上で、地域振興における文化によるまちづくりの重要性に触れ、経済のソフト化、サービス化の進展に伴い、文化は経済活

動において多様かつ高い付加価値を生み出す源泉であるとして、文化と経済との結びつきを指摘する。

　また、後のいわゆる国家ブランディングに通じる記述として、個性ある文化はその国の「顔」であり、国際的な文化交流は、相互理解の促進や友好親善に寄与するものであるとする。一方、地域の文化にも目を向け、文化の東京一極集中でなく地方から中央への文化の伝播を意識し、それぞれの地域において豊かな文化が育まれることは我が国全体の文化の振興につながると述べる。これらの記述を見ると、後に閣議決定を伴って政府として策定される文化政策の柱につながる基本的な考え方が、この時期に文化政策推進会議の提言を踏まえ整理されていたと言えよう。

　さらに、平成９年の行政改革会議最終報告において「文化行政の機能の充実」が謳われたことを背景に、文化立国の実現に向けた文化行政の総合的推進のための取組として、文化振興総合計画の検討を挙げ、文化庁の政策の企画立案機能や調査研究、評価機能を充実するとともに、文化政策の審議機能の強化や法的基盤の整備を検討するとしている。

　このように、マスタープランにおいては、文化庁として、行政改革会議最終報告において提言された「新たな省間調整システム」(注2)に期待するだけでなく、文化行政の機能の充実に向けて積極的に取り組もうとした。

　すなわち、当時の文化庁内部の認識として「文化自体の定義が法律面でも各種多様に使用され、明確な行政上の定義が無く、政府全体の文化政策動向を議論することは、調整官庁でない文化庁が所掌事務上出来なかった面がある」との指摘(注3)から察せられるように、省庁横断的な政策策定が未だ困難な状況がある中においても、文化庁として文化行政の総合的推進を目指そうとする強い意気込みが表れているのである。

　しかし、マスタープランは未だ文化庁としての政策の域を出ず(注4)、法的根拠のある政府の政策として策定されるのは、平成13年に超党派

の議員立法により成立した**文化芸術振興基本法**に基づき策定される「文化芸術の振興に関する基本的な方針（閣議決定）」（以下「基本方針」という。）を待つことになる。

第2節　文化芸術振興基本法成立以降の取組

第1項　基本方針の策定

　文化芸術振興基本法第7条第1項に基づく基本方針は、文化芸術の振興に関する施策の総合的推進を図るために、平成14年の第1次基本方針から平成27年の第4次基本方針まで、それぞれ概ね5年程度を見通すものとして4回策定された。

　第1次基本方針では文化を「人間が理想を実現していくための精神活動及びその成果」という側面から①人間が人間らしく生きるための糧、②共に生きる社会の基盤の形成、③質の高い経済活動の実現、④人類の真の発展への貢献、⑤世界平和の礎の5つの意義をもつものと整理し、文化芸術は国民の社会的財産であると述べる。また、文化芸術の振興における国の役割を「文化芸術の頂点の伸長」と「文化芸術の裾野の拡大」を基本とし、「文化遺産の保存と活用」、「文化芸術の国際交流」及びそれを支える「文化基盤の整備」に集約している。

　とりわけ、③質の高い経済活動の実現においては、文化の在り方は、経済活動に多大な影響を与えるとともに、文化そのものが新たな需要や高い付加価値を生み出し、多くの産業の発展に寄与し得るものと述べ、平成19年の第2次基本方針における「文化力」[注5]が国の力であるとの認識の下に、経済力のみならず「文化力」により世界から評価される国へと発展する「文化芸術立国」を目指すという文脈に発展する。

　もちろん、この「文化芸術立国」という考え方は、基本方針策定以前にも平成7年の文化政策推進会議の報告や平成10年の同会議の提言に

おいて「文化立国」として標榜されており、先述した「文化振興マスタープラン」においてもその必要性について詳述している。

　なお、第2次基本方針においては、「文化力」をキーワードとしているが、文化芸術は、様々な人々の営為の上に生まれ、その継承と変化の中で新たな価値が見出されていくものであり、短期的な視点のみでその価値は図れないとし、その活動に短期的な経済効率性を一律に求めるのではなく、長期的かつ継続的な視点に立った施策の展開が必要だと指摘する。

　平成23年の第3次基本方針では、「文化芸術は、創造的な経済活動の源泉であるとともに、人々を惹き付ける魅力や社会への影響力をもつ『ソフトパワー』であり、持続的な経済発展や国際協力の円滑化の基盤となることから、我が国の国力を高めるものとして位置付けておかなければならない」とし、前年の平成22年6月18日に旧民主党政権下で閣議決定された「新成長戦略」における「クール・ジャパン」の取組を強く意識する。

　また、この第3次基本方針においては、文化芸術は「国家への威信付与、周辺ビジネスへの波及効果、将来世代のために継承すべき価値、コミュニティへの教育価値といった社会的便益（外部性）を有する公共財」であると同時に「高齢者、障害者、失業者、在留外国人等にも社会参加の機会をひらく社会的基盤」（社会包摂の機能）と捉えている。

　そして、「従来、社会的費用として捉える向きもあった文化芸術への公的支援に関する考え方を転換し、社会的必要性に基づく戦略的投資と捉え直」し、「成熟社会における新たな成長分野として潜在力を喚起するとともに、社会関係資本の増大を図る観点から、公共政策としての位置付けを明確化する」として、成熟社会における人々の活力や創造力の源泉として文化芸術を捉え、その振興は公共政策であるとする。この整理は文化芸術全般のものであるが、後述する「日本再興戦略2016」に

おける「文化財・文化資源のコストセンターからプロフィットセンターへの転換」というスローガンにも通じるものがあると理解できる。

　ただし、公共政策として文化芸術振興を図る際の留意点として、第2次基本方針と同様に、文化芸術の特質を踏まえ、短期的な経済的効率性を一律に求めるのではなく、長期的かつ継続的な視点に立った施策の必要性について指摘している。

　このように第3次基本方針では、クール・ジャパン戦略を背景に、文化芸術に対する大きな期待をもって数多くの重点戦略が打ち出された。特に重点戦略5に掲げられた「文化芸術の地域振興、観光・産業振興等への活用」においては、文化芸術資源の発掘やそれらの活用の支援に触れ、地域振興や観光・産業振興等に向けた取組を進めるとしている。

　さらに、平成27年の第4次基本方針においては、当時の地方創生の流れや観光インバウンド対応の影響を受け、「文化芸術、町並み、地域の歴史等を地域資源として戦略的に活用し、地域の特色に応じた優れた取組を展開することで交流人口の増加や移住につなげるなど、地域の活性化を図る新しい動きを支援し、文化芸術を起爆剤とする地方創生の実現を図る」とされ、さらなる文化芸術資源の活用が謳われた。また、2020年オリンピック・パラリンピック競技大会を文化の祭典としても成功させることが文化芸術の振興にとってチャンスであるとの認識の下に、文化プログラムの実施に焦点が当てられた。

　このように、基本方針は閣議で決定される政府方針であるがゆえに、その時々の経済政策や地域政策を含めた政府全体の戦略を色濃く反映するものとなるが、いずれの基本方針も、文化政策が経済政策と関連して述べられている点については共通している。

第 2 項　文化芸術推進基本計画

　文化芸術振興基本法は平成 29 年に改正され、法律名も**文化芸術基本法**となり、基本方針に代わって「文化芸術推進基本計画」が策定されることとなる（**文化芸術基本法**第 7 条第 1 項）。この計画の行政計画としての位置付けや概要については後述するが、それまでの基本方針と異なる点は、**基本法**改正を受け、文化芸術を広く捉え関係府省庁の文化芸術関連施策を盛り込んだことと、文化 GDP 等の評価指標に基づく評価・検証サイクルを確立し、毎年度計画をフォローアップするところにある。

　この計画の策定に当たっては、あらかじめ関係行政機関の施策に係る事項について、文部科学大臣が関係府省からなる文化芸術推進会議（同法第 36 条）において連絡調整を図ることとなっている（同法第 7 条第 4 項）。したがって、少なくとも計画策定の場面では、文化庁が文化芸術推進会議の事務局となって、関係行政機関の施策の事務調整を事実上行うことが可能となった。その意味では、「文化の時代研究グループ」の昭和 55 年の報告にある「各省庁の横断的な協力の下に、文化面の施策を総合的に調整し、かつ、文化振興戦略の中枢機関として機能するような体制づくり」に一歩近づいたと言えよう。

　そして、最終的に文化庁が国の組織法上で文化に関する各省庁横断的な基本政策の提示やその下での関連事務の調整の権限を持つようになるのは、後述するように、平成 30 年になって**文部科学省設置法**を改正し、その所掌事務に文化に関する基本的な政策の企画及び立案並びに推進に関すること（同法第 4 条第 1 項第 77 号）及び文化に関する関係行政機関の事務の調整に関することを追記（同第 78 号）するとともに、文化庁が中核となって我が国の文化行政を総合的に推進していく体制が整備されてからのことである。

第 2 章 文化政策に関わる仕組み

第1節　文化政策を担う組織

第1項　文化庁

　日本国憲法においては、行政権は内閣に属するとされ（憲法65条）、国における行政事務は内閣を組織する国務大臣により分担管理することとされている（**内閣法第3条第1項**）。

　文部科学省設置法では文部科学省の任務として文化^(注6)に関する施策の総合的な推進を図ることと宗教に関する行政事務を適切に行うことが規定されており（第3条第1項）、国の文化行政は文部科学省によって担われることとなる。

　文化庁は、文部科学省の所掌事務のうち文化の振興等の事務をつかさどらせるために置かれた外局（**国家行政組織法**第3条第3項）であり、また、文化庁の任務として、文化に関する施策の総合的な推進の他、平成13年に明示的に規定された国際文化交流の振興や、平成30年の**文部科学省設置法**によって文部科学省の旧生涯学習政策局から文化庁に移管された博物館による社会教育の振興の事務、及び宗教に関する事務が規定されている（第18条）。すなわちこれが、国の文化政策を策定し実施する機関として文化庁が置かれる法的根拠である。

　なお、**文部科学省設置法**に定める文部科学省の任務の規定においては、

文化に関する施策の総合的な推進を図ることと宗教に関する事務を適正に行うことが書き分けられて規定されている。宗務行政は後述するように、信教の自由や政教分離といった憲法上の要請を実現する行政分野であるが、文化に関する施策の総合的推進において宗務行政が全く関わらないというものではなく、文化財保護における宗教法人等の役割や、我が国の文化芸術そのものの多様性と豊かさを育む地域の信仰に根ざした文化の振興（注7）という観点から、広い意味での文化行政の中で捉える必要がある。

　文化芸術基本法においては、国と地方公共団体の責務を規定しており、国は基本理念にのっとり、文化芸術に関する施策を総合的に策定し、及び実施する責務を有するとされる（第3条）。この条文における国は、文化庁の行う文化に関する施策の総合的推進の対象となる事務を行うすべての行政機関等をいい、文化庁だけでなく文化芸術に関わる施策を担当する府省や関係機関を含むものである。

　文化庁には、審議会（**国家行政組織法**第8条）として文化審議会と宗教法人審議会が置かれている（**文部科学省設置法**第21条、第22条）。文化審議会は文部科学大臣又は文化庁長官の諮問に応じて文化の振興その他の文化に関する施策の総合的な推進等に関し調査審議あるいは意見を述べる合議制の機関であり、文化審議会の下に国語分科会、著作権分科会、文化財分科会、文化功労者選考分科会のほか文化政策部会等が置かれている。

　なお、文化庁には、芸術上の功績顕著な芸術家の優遇等を行う機関として日本芸術院が置かれている（**文部科学省設置法**第23条）。この機関は会員により組織される栄誉機関であり、会員の選考は、会員からなる部会の推薦と総会の承認により行われ、会員には年金が支給される。

　このほか、海外流出や散逸の危機に瀕している我が国の著名な近現代建築家による図面、建築模型等について収集・保管し展示や普及活動を

行う拠点として国立近現代建築資料館が平成24年に設置された（**文化庁訓令**）。

（資料1-1）文化庁機構図

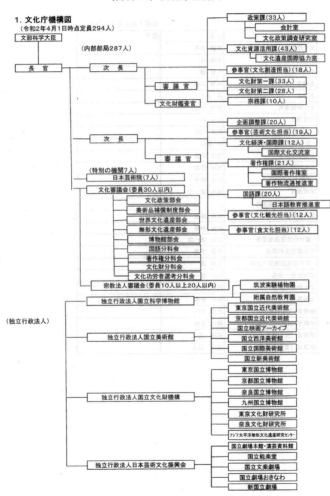

国名	日本	英国	フランス
文化担当省名称	文化庁	文化・メディア・スポーツ省	文化・通信省
文化担当省の位置づけ	中央省庁1府13省の一つである文部科学省の外局	英国の内閣を構成する大臣（閣内相）が所管する25の大臣省の一つ	フランスの内閣を構成する大臣が所管する17省の一つ
所掌分野	文化の振興及び国際文化交流の振興を図るとともに、宗教に関する行政事務を適切に行うことを任務とする。（文部科学省設置法第十八条）	文化、メディア、スポーツのほか、観光や遺産、公営競技、賭博、アルコールやエンターテイメントのライセンスなど、幅広い政策分野の事務を所掌する。	文化遺産保護、文化芸術創作、文化芸術教育、地方での文化振興、文化産業、新技術による文化普及・発信、外国でのフランス文化活動の振興・普及を所掌する。
主な政策分野 / する①文化担当省が所管する文化政策分野	○芸術文化 ○文化財 ○著作権 ○国際文化交流・国際貢献 ○国語施策・日本語教育 ○宗教法人と宗教行政 ○美術館・歴史博物館	○芸術と文化 ○博物館と美術館 ○図書館サービス ○歴史的建造物や記念碑の保存	○文化遺産保護・文化芸術創作・文化芸術教育 ○地方での文化振興 ○文化産業 ○新技術による文化普及・発信 ○外国でのフランス文化活動の振興・普及を所掌
主な政策分野 / 策②文化政策以外の政策分野の文化担当省が所管する政策分野	－	○メディア政策（創造産業を含む） ○スポーツ政策 ○その他（観光、賭博の規制、国家的行事やセレモニー、国営宝くじ基金、2012 オリンピック・パラリンピック・レガシー等）	○通信政策（新聞・ラジオ・テレビ等のメディア、インターネットを介する視聴覚通信技術等を対象）
文化担当省の予算額	1,040億円 （2016年度一般会計予算）	1兆289億円 [*1] （2015年度、総管理歳出から算出）	9,376億円 [*3] （2016年度）
文化担当省の予算額 / 策所①の管文予す化算る担額文当化省政がの予算額	1,040億円	1,737億円 [*2] （省庁別歳出限度額から算出）	4,448億円
文化担当省の予算額 / 予策②算以額外のの文政化策	－	8,552億円 （総管理歳出から算出）	4,928億円
文化担当省の予算額 / 割の文合予化算政の策	100.0%	16.9% （総管理歳出から算出）	47.4%

ドイツ	イタリア	韓国
連邦文化・メディア庁	文化財・文化活動・観光省	文化観光体育部及び文化財庁
ドイツの最高連邦機関の首相府に置かれている庁の一つ	イタリアの内閣を構成する大臣が所管する13省の一つ	韓国の行政機関、部省庁17部5処16庁の部と庁 [5]
文化の振興、文化及びメディアのプレゼンスの強化、文化及びメディア分野の法的条件の整備と改善、ナチスの恐怖政治を記憶するための記念施設の維持・振興、東ドイツ時代の不法を記憶するための記念施設や研究施設の振興を所掌する。	文化保護、文化芸術の振興と保護、文化芸術遺産及び景観の保存、観光を所掌する。	文化観光体育部は文化、芸術、映像、広告、出版、刊行物、体育、観光、伝統文化の保存・継承、国政広報や政府発表に関する事務を所掌し、また、文化財庁においては、文化遺産や文化財に関する事務を所掌する。
○文化芸術の振興 ○文化普及教育 ○文化財保護 ○文化創造経済 ○国家的文化事業 ○「検証と記憶」に関わる事業 ○欧州諸国との文化交流事業	○文化保護 ○文化芸術の振興と保護 ○文化芸術遺産及び景観の保存	文化観光体育部 ○文化芸術 ○文化コンテンツ産業 ○宗教 文化財庁 ○文化財
○メディア政策（映画への助成を含む）	○観光政策	文化観光体育部 ○体育政策 ○観光政策 ○国政広報や政府発表 ○冬季オリンピック
1,787億円 （2016年度）	—	3,458億円 [6] （2016年度）
1,190億円	約2,153億円 （2014年度）	2,593億円 [6]
597億円	—	865億円 [6]
66.6%	—	75.0% [6]

国名	日本	英国	フランス
①文化政策の予算額の国家予算に占める割合	0.11% （2016年度一般会計予算：約96.7兆円）	0.15% （総管理歳出から算出）	0.80％
職員数	233名 （2016年度）	556名 （2015年度）	29,675名 *4 （2016年度）
文化担当省と文化芸術団体や文化施設との関係	文化芸術団体や文化施設に対する支援は、芸術文化振興基金からの助成金もあるが、文化庁が直接支給する補助金が中心となっている。	文化・メディア・スポーツ省が所管する博物館や美術館への財政的支援は同省から直接行われているが、それ以外の文化芸術団体や文化施設への支援はアーツカウンシル・イングランド等の政府外公共機関を通じて行われており、それが大半を占めている。	文化・通信省が所管する文化芸術団体や文化施設への財政的支援は同省から直接行われているが、それ以外の文化芸術団体や文化施設への支援は文化・通信省の地方圏文化事業局や外郭団体等を通じて行われており、それが大半を占めている。
	の外郭団体等の数	3団体 （独）国立美術館、（独）国立文化財機構、（独）日本芸術文化振興会	43団体 （エグゼクティブ・エージェンシー、政府外公共機関、公的企業等）	76団体 （行政的公施設法人：56団体、商工業の公施設法人：19団体、科学・文化・専門公施設法人：1団体）
	の文化施設数	17施設	15施設 （政府外公共機関の博物館・美術館数）	52施設 *8
文化政策の評価	―	業績評価指標に対応する公式統計の整備や、文化政策の評価に関わる調査研究を行っている。	首相府の中にある「公共活動近代化省庁間総局（DIATP）」が総合的な政策評価を行い、文化・通信省内の「文化事業総監部（IGAC）」が事業別の評価を行っている。
文化担当省以外の主な省庁の文化関連政策	○文部科学省：芸術教育、博物館の振興、公民館の振興等 ○外務省：広報文化外交等 ○経済産業省：クールジャパン／クリエイティブ産業、コンテンツ産業等 ○農林水産省：和食の保護・継承の推進等	○外務省：国際文化交流の促進、ブリティッシュ・カウンシルを所管 ○教育省：芸術教育の普及 ○ビジネス・エネルギー・産業戦略省：創造産業の振興	○国家教育省：芸術教育の普及 ○外務省：国際文化交流の促進、アンスティチュ・フランセを所管 ○その他に10以上の省庁が文化施設を所管している
文化担当省以外の主な省庁が所管する文化関連機関等	○（独）国際交流基金	○ブリティッシュ・カウンシル	○アンスティチュ・フランセ

*1 文化担当省の予算額には英国放送協会（BBC）の運営予算が含まれている。

*2 英国では、文化・メディア・スポーツ省以外に国営宝くじ基金の財源が文化振興の重要な役割を担っている。

*3 文化担当省の予算額には公共放送の運営予算が含まれている。

*4 地域圏文化事業部局や関係機関等の職員を含む。

*8 教育機関や研究機関を除く「コンペタンス・ナショナル」と「公施設法人」の団体数を合算して算出した。

ドイツ	イタリア	韓国
0.29%	—	0.67% [6]
255名	—	1,549名 [7]
連邦文化・メディア省が所管する国立文化施設への財政的支援は同省から直接行われているが、それ以外の文化芸術団体や文化施設への支援は連邦文化財団を通じて行われている。	—	文化体育観光部が所管する国立芸術団体や文化施設への財政的支援は同部から直接行われているが、それ以外の文化芸術団体や文化施設への支援は文化体育観光部が所管する韓国アーツカウンシル等を通じて行われている。[9]
5団体 連邦文化財団、プロイセン文化財団、ワイマール古典財団等	16団体	56団体 [10] （体育や観光等の外郭団体を含む）
6施設	—	20施設 [10] （国立芸術団体を含む）
「ドイツにおける文化」調査委員会が政策評価を目的とする統計整備を提言したが、その統計整備に関しては、現在、検討段階である。	—	（財）芸術経営支援センターが助成対象事業の評価や各分野の実態調査等を行い、韓国文化観光研究院が文化政策のための調査研究を行っている。[9]
○外務省：ゲーテ・インスティトゥートや対外関係協会を所管 ○連邦経済・エネルギー省：文化経済の推進、観光振興、ドイツ観光局を所管	○外務・国際協力省：国際文化交流、イタリア文化会館を所管	○未来創造科学部：次世代融合型コンテンツ産業育成やスマートコンテンツ産業育成等 ○文化隆盛委員会：「文化のある日」を推進
○ゲーテ・インスティトゥート ○対外関係協会 ○ドイツ観光局	○イタリア文化会館	○韓国文化院（文化体育観光部が所管しているが、海外では大使館内に設置されている）

[5] 文化観光体育部の「長官」は日本の大臣に相当する。
[6] 文化観光体育部と文化財庁の予算を合算して算出した。
[7] 文化観光体育部と文化財庁の職員数を合算して算出した。
[9] 文化観光体育部に関する記述で、文化財庁に関する記述は含まれていない。
[10] 文化観光体育部と文化財庁に関わる団体や施設の数を合算して算出した。

(資料1-3) 文化審議会組織図

文化審議会

（令和2年7月現在）

・文化の振興その他の文化に関する施策の総合的な推進並びに国際文化交流の振興及び博物館による社会教育の振興に関する重要事項の調査審議等

文化政策部会
・文化の振興に関する基本的な政策の形成に係る重要事項に関する調査審議

美術品補償制度部会 ─ 専門調査会
・展覧会における美術品損害の補償に関する事項の調査審議

世界文化遺産部会
・世界遺産条約の実施に関する事項の調査審議

無形文化遺産部会
・無形文化遺産保護条約の実施に関する事項の調査審議

博物館部会
・博物館の振興に関する事項の調査審議

国語分科会
・国語の改善及びその普及に関する事項の調査審議等

- 国語課題小委員会
- 日本語教育小委員会（外国人に対する日本語教育）

著作権分科会
・著作権制度に関する重要事項の調査審議等

- 基本政策小委員会（著作権関連施策の基本的問題）
- 法制度小委員会（著作権法制の在り方）
- 国際小委員会（国際的ルール作り対応）
- 使用料部会（著作物利用に係る裁定）

文化財分科会
・文化財の保存及び活用に関する重要事項の調査審議等

- 第一専門調査会（美術工芸品）
- 第二専門調査会（建造物及び伝統的建造物群保存地区）
- 第三専門調査会（記念物、文化的景観及び埋蔵文化財）
- 第四専門調査会（無形文化財及び文化財の保存技術）
- 第五専門調査会（民俗文化財）

文化功労者選考分科会
・文化功労者年金法により、審議会の権限に属させられた事項の処理

第2項　独立行政法人

　独立行政法人制度は、各省庁の行政活動から政策の実施部門のうち一定の事務・事業を分離しこれを担当する機関に法人格を与えて行わせるものであり、平成13年の中央省庁等改革の柱の一つとして創設された。文化政策に関し主務大臣の示す目標の下行われる独立行政法人の活動は、国の文化政策の一環としてなされるものであり、当該独立行政法人は文化政策を担う国の組織として整理される。

　平成21年には、文化庁が所管していた独立行政法人国立国語研究所が、文部科学省研究振興局所管の大学共同利用機関法人人間文化研究機構に移管され、現在、文化庁が所管するものは、独立行政法人国立美術館、独立行政法人国立文化財機構、独立行政法人日本芸術文化振興会、独立行政法人国立科学博物館の4法人であり、それぞれが設置する施設の運営等を通じて法律に定める目的を達成するための業務を行っている。

①独立行政法人国立美術館

　美術館を設置して美術（映画を含む。）に関する作品その他の資料を収集し、保管して公衆の観覧に供するとともに、これに関連する調査及び研究並びに教育及び普及の事業等を行うことにより、芸術その他の文化の振興を図ることを目的としている（**独立行政法人国立美術館法**第3条）。

（設置する施設）

- ・東京国立近代美術館（近・現代美術に関する作品その他の資料の収集・展示・調査研究等）
- ・京都国立近代美術館（近・現代美術に関する作品その他の資料の収集・展示・調査研究等、特に関西を中心としたもの）
- ・国立西洋美術館（松方コレクションを中心にした西洋美術の収集・展示・調査研究等）
- ・国立国際美術館（主に昭和20年以降の現代美術の収集・展示・調

査研究等）
- ・国立新美術館（美術創造活動の活性化のための美術団体等への展覧
  会場の提供、調査・研究等）
- ・国立映画アーカイブ（映画フィルム等を文化財として収集・上映等）

②独立行政法人国立文化財機構

　博物館を設置して有形文化財を収集し、保管して公衆の観覧に供する
とともに、文化財に関する調査及び研究等を行うことにより、貴重な国
民的財産である文化財の保存及び活用を図ることを目的としている（**独
立行政法人国立文化財機構法**第３条）。

　国立博物館は、**文化財保護法**に基づく出品勧告や承認を受けた重要文
化財の公開をはじめ、常設展や企画展により文化財の公開活用を図って
いる。

- ・東京国立博物館（総合的な博物館として東洋及び日本の各時代の文
  化財の収集・保存管理・公開及び調査研究・教育普及等）
- ・京都国立博物館（京都を中心とする畿内に伝来した文化財及び平安
  時代以降の美術品の収集・保存管理及び公開等）
- ・奈良国立博物館（仏像美術を主とする文化財の収集・保存管理及び
  公開等）
- ・九州国立博物館（アジア諸地域との交流による日本文化の形成に関
  する文化財の収集・保存管理及び公開等）
- ・東京文化財研究所（美術、芸能、文化財の保存・修復技術の調査研究、
  情報収集等）
- ・奈良文化財研究所（南都の社寺の建造物等の調査研究、平城宮跡等
  の発掘調査研究等）
- ・アジア太平洋無形文化遺産研究センター（IRCI：UNESCO「**無形
  文化遺産の保護に関する条約**」に基づき設置された機関で、アジア
  太平洋地域の無形文化遺産保護に向けた調査研究等を行う）

③独立行政法人日本芸術文化振興会

　芸術家及び芸術に関する団体が行う芸術の創造又は普及を図るための活動その他の文化の振興又は普及を図るための活動に対する援助を行い、併せて、我が国古来の伝統的な芸能の公開、伝承者の養成、調査研究等を行い、その保存及び振興を図るとともに、我が国における現代の舞台芸術の公演、実演家等の研修、調査研究等を行い、その振興及び普及を図り、もって芸術その他の文化の向上に寄与することを目的としている（**独立行政法人日本芸術文化振興会法**第3条）。

（設置する施設）

　・国立劇場（本館）（伝統芸能の自主公演、伝承者養成、調査研究等）

　・国立演芸資料館（国立演芸場）（大衆芸能の公演）

　・国立能楽堂（能楽の公演、伝承者養成、調査研究等）

　・国立文楽劇場（文楽の公演、技芸員の養成、調査研究等）

　・国立劇場おきなわ（組踊等の公演、伝承者養成、調査研究等）

　・新国立劇場（現代舞台芸術の公演、芸術家養成等　公益財団法人新国立劇場運営財団に管理運営を委託）

④独立行政法人国立科学博物館

　博物館を設置して、自然史に関する科学その他の自然科学及びその応用に関する調査及び研究並びにこれらに関する資料の収集、保管及び公衆への供覧等を行うことにより、自然科学及び社会教育の振興を図ることを目的としている（**独立行政法人国立科学博物館法**第3条）。

　平成30年10月の文部科学省の組織改編において、博物館による社会教育の振興に関する事務の文化庁への移管に伴い、文化庁に所管替えされた。

（設置する施設）

　・国立科学博物館（自然史、科学技術史に関する調査研究、資料収集、展示等）

（資料1-4）国立文化施設の変遷

○独立行政法人国立美術館

東京 国立近代美術館	昭和27 国立近代美術館→	昭和42 東京国立近代美術館	平成13 （独立行政法人化） （独）国立美術館
京都 国立近代美術館	昭和38 国立近代美術館京都分館→	昭和42 京都国立近代美術館	
国立西洋美術館	昭和34 国立西洋美術館		
国立国際美術館		昭和52 国立国際美術館	
国立新美術館			平成19 設置
国立 映画アーカイブ			平成30 設置

○独立行政法人国立文化財機構

東京 国立 博物館	明治4 博物館→	明治22 帝国博物館 →	明治33 東京帝室 博物館→	昭和22 国立博物館 →	昭和27 東京国立 博物館	平成13 （独立行政 法人化） （独）国立 博物館	平成19 （法人統合） （独）国立 文化財機構
京都 国立 博物館		明治22 帝室京都 博物館→	明治33 京都帝室 博物館→	大正13 京都帝国 博物館→	昭和27 京都国立 博物館		
奈良 国立 博物館		明治22 帝室奈良 博物館→	明治33 奈良帝室 博物館→	昭和22 国立博物館 奈良分館→	昭和27 奈良国立 博物館		
九州 国立 博物館						平成17 設置	
東京 文化財 研究所	昭和5 帝国美術院 附属美術 研究所→	昭和22 国立博物館 附属研究所 →	昭和27 東京文化財 研究所→	昭和29 東京国立 文化財 美術研究所		平成13 （独立行政 法人化） （独）文化 財研究所	
奈良 文化財 研究所			昭和27 奈良文化財 研究所→	昭和29 奈良国立 文化財 研究所			
アジア 太平洋 無形文化 遺産研究 センター							平成23 設置

○独立行政法人日本芸術文化振興会

国立劇場（本館） 国立演芸資料館 （国立演芸場）	昭和41 国立劇場	昭和54 国立演芸資料館	平成15 （独立行政法人化） （独）日本芸術文化 振興会
国立能楽堂		昭和58年 国立能楽堂	
国立文楽劇場		昭和59 国立文楽劇場	
新国立劇場		平成9 新国立劇場	
国立劇場おきなわ			平成16 設置

○独立行政法人国立科学博物館

国立科学博物館	明治4 博物館 →	明治8 東京 博物館 →	明治14 東京 教育 博物館 →	大正10 東京 博物館 →	昭和6 東京 科学 博物館 →	昭和24 国立 科学 博物館 →	平成13 （独立行政法人化） （独）国立科学博物館

○国立国語研究所

国立国語研究所		昭和23 国立国語研究所	平成13 （独立行政 法人化） （独）国立国語 研究所	平成21 大学共同利用機関法人 （文部科学省研究振興局 所管）人間文化研究機構 に移管 ⇒

○日本芸術院

日本芸術院	明治40 美術 審査 委員会 →	大正8 帝国 美術院 →	昭和12 帝国 芸術院 →	昭和22 日本 芸術院

第3項　地方公共団体の組織

　文化を担当する地方公共団体の組織は、昭和43年の文化庁の設置とともに急速に整備され、文化庁発足10年を経る頃にはすべての都道府県において文化課又は文化財保護課が設置された。一方、昭和41年の文部省文化局の設置以前、国において文化行政の一部が社会教育行政として長い間捉えられてきた背景もあり、博物館や公民館等の社会教育施設とのつながりが強い市町村においては、社会教育を所管する部門で所管されることが多かった。

　その後、昭和50年代後半の地方の時代^{（注8）}すなわち地域における文化的行政需要の増大と多様化を背景として、文化的活動が地域住民の日常生活と不可分であるとの認識が深まるにつれ、首長主導により、文化施設の設置にとどまらず、生活文化も包含したまちづくりの観点から地域文化一般の振興が図られることとなる。また、地域住民の生活や地域環境と関連して文化イベントや文化施設の設置・管理等を行う必要性から、都道府県の文化行政については、自ずと知事部局で担当されることが多くなり、最近ではほぼ知事部局に文化行政の取りまとめ機能が集約されている。

　文化芸術基本法においては、地方公共団体は、基本理念にのっとり、文化芸術に関し、国との連携を図りつつ、自主的かつ主体的に、その地域の特性に応じた施策を策定し、及び実施する責務を有するとされる（第4条）。

　地方公共団体における文化関係の事務は、**文化財保護法**及び**宗教法人法**に係る法定受託事務を除いて、地方公共団体がその権限に基づいて処理する自治事務である。したがって、地方公共団体においては、文化関係の事務は主に文化財の保護の事務と芸術文化の一部の事務を教育委員会が処理する以外、首長部局で処理されるのが通例である。このうち文化財保護の事務に関しては、一部の地方公共団体において事務委任や補

助執行により、文化財保護に関する事務の一部が便宜上首長部局によって担われていたが、平成30年の**地方教育行政の組織及び運営に関する法律**（以下「地方教育行政法」という。）の改正によって、条例の定めるところにより文化財の保護の事務を首長部局に移管することを可能とする（**地方教育行政法**第23条第1項）など、文化財保護分野と地方の景観・まちづくりや観光等の他の行政分野と連携した総合的な取組を念頭に置いた法整備が行われた。

第2節　文化政策に関わる法制

第1項　国の法制

（1）　文化芸術の振興

　文化の普及・振興に係る基本的事項を定めた法律として、平成13年に議員立法により制定された**文化芸術振興基本法**がある。この法律は、その後平成29年に同じく議員立法により改正され、名称も**文化芸術基本法**となった。

　とりわけ芸術文化に対しては、戦時中は文化指導という名の下に統制・干渉が加えられていたが、戦後これらに加担する法令は廃止され、芸術文化活動の普及に関する取組が始まる。しかし、昭和21年に文部省が作成した「新教育指針」における「芸能文化も、他の一切の文化とともに、不当の制限から解放せられた。それは本来のあり方にかえり、固有の価値をあらはさねばならない」との戦時中の反省に立つ政治環境が続く中、文化庁発足当初において既に、後に述べるように文化政策に関わる職員が自ら文化行政の役割は文化の創造を促すための諸条件の整備にあると自己規定していた。そのため、**文化芸術振興基本法**のような一般的な文化振興法ができるまでには時間を要したものと思われる。

　文化芸術基本法には、文化芸術活動を行う者の自主性の尊重（前文、

第1条、第2条第1項）、創造性の尊重（第2条第2項）を規定している。これらの規定は平成29年の改正において前文に新たに挿入された「文化芸術の礎たる表現の自由の重要性を深く認識し」の文言に端的に表れているように、**憲法**第21条の表現の自由を強く意識した規定である。また、これらの規定は文化芸術を創造し、享受することが人々の生まれながらの権利であるとの規定（同条第3項）の前提となるものであり、**憲法**第13条の幸福追求権に由来するものと言われている[注9]。このような自主性や創造性の尊重について縷々規定されているのは、文化芸術への政府の関与と役割を基本法によって明らかにしようとした[注10]際に、戦時中の文化行政に対する反省が強く意識されたものと考えられる。

　芸術文化振興関連の立法に対する行政の関わり方については、「文化行政のようにいわば価値観を含む分野では、文化庁・文部省が積極的に関わることをせず、待ちの姿勢で行政を行った」との指摘[注11]がある。実際、これまで成立した芸術文化振興関連の法律には内閣提出のものは少なく、**文化芸術基本法**はもとより、**劇場、音楽堂等の活性化に関する法律**や**障害者による文化芸術活動の推進に関する法律**など関係の議員連盟が主導した数多くの議員立法が行われている。

　なお、芸術文化振興に関連するもので、**文化芸術基本法**以外の法律を列挙すると概ね以下の通りである。（括弧内は成立年　後に★を付したものは議員立法）

- **音楽文化の振興のための学習環境の整備等に関する法律**（平成6）★
- **美術品の美術館における公開の促進に関する法律**（平成10）
  美術品の公開・活用を図るため、登録美術品制度及び登録美術品の相続税の物納の特例措置を導入するもの

- 文字・活字文化振興法（平成 17）★
- 海外の美術品等の我が国における公開の促進に関する法律（平成 23）★

  強制執行等の禁止措置を講ずることにより、海外の美術品を借り受けやすくし、我が国での海外の美術品等の公開に資するもの
- 展覧会における美術品損害の補償に関する法律（平成 23）

  借り受けた美術品に損害が生じた場合に一定額を超える部分を政府が補償することにより、質の高い展覧会の開催を支援するもの
- 劇場、音楽堂等の活性化に関する法律（平成 24）★

  劇場、音楽堂の活性化を図ることにより、実演芸術の水準の向上等を通じて実演芸術の振興を図るもの
- 古典の日に関する法律（平成 24）★
- 障害者による文化芸術活動の推進に関する法律（平成 30）★

  障害者による文化芸術活動の推進に関し、基本理念を定め、基本計画の策定等を定めるもの
- 国際文化交流の祭典の実施の推進に関する法律（平成 30）★

  国際文化交流の祭典の実施の推進に関し、基本理念を定め、国等の責務を明らかにするとともに基本計画の策定等を定めるもの
- 特定興行入場券の不正転売の禁止等による興行入場券の適正な流通の確保に関する法律（平成 30）★
- アイヌの人々の誇りが尊重される社会を実現するための施策の推進に関する法律（平成 31）

  アイヌを北海道の先住民族として位置付け、アイヌ施策の推進に関し基本理念、国等の責務、基本方針の策定等について定めるもの
- 日本語教育の推進に関する法律（令和元）★

  日本語教育に関し基本理念を定め、日本語教育の機会の拡充や日

本語教育の水準の維持向上等の基本的施策を定めるもの

　さらに、この他にも、**子どもの読書活動の推進に関する法律、視覚障害者等の読書環境の整備の推進に関する法律**（読書バリアフリー法）、**観光立国推進基本法、お茶の振興に関する法律、花きの振興に関する法律**などもある。

（2）　文化財の保護

　文化財保護に関する基幹的な法律である**文化財保護法**は、昭和25年に議員立法により制定された。この法律は、戦前の**国宝保存法、重要美術品等の保存に関する法律、史跡名勝天然記念物保存法**を統一するとともに無形文化財、民俗資料、埋蔵文化財を保護の対象として加え、文化財の保存及び活用についての制度を体系的に整備した文化財の保護に関する総合的な法律である。

　この法律では、あらゆる文化財を保護対象とするのは困難であるとして、選択的保護主義をとっており、第2条の文化財の定義に該当し、指定等を受けたものを保護の対象としている。また、旧法時代に指定件数が多数に上り保護の徹底を欠くきらいがあったとして、保護すべき対象を厳選する観点から、従来の国宝を国宝及び重要文化財に、史跡名勝天然記念物を特別史跡名勝天然記念物及び史跡名勝天然記念物の2段階に分けて前者を優先的に保護することとされている[注12]。一方、文化財保護は一般国民を含めた関係者全体の協力があってはじめて円滑な推進が図られるという前提があり、訓示規定であるが、国や地方公共団体に対し関係者の所有権その他の財産権の尊重を規定する（第4条3項）とともに、一般国民に対し国や地方公共団体の講じる措置に対して誠実に協力するよう求めている（第4条第1項）。

　その後、昭和29年の改正において重要文化財の管理団体制度を設けるとともに、重要無形文化財の指定制度が創設された。また、民俗資料

を有形文化財から分離し、重要民俗資料の指定制度が創設された。埋蔵文化財については、有形文化財から分離するとともに周知の埋蔵文化財包蔵地（貝づか、古墳その他伝説、口伝等によりその地域社会において埋蔵文化財を包蔵する土地として広く認められている土地）での土木工事等の目的で行われる発掘に対する規制が新設された。一方で、地方公共団体においても条例の定めるところにより国指定の文化財以外のものを指定し保護する制度が創設された。

　昭和50年には、民俗資料を民俗文化財に改称し重要無形民俗文化財の指定制度が新設された。また、土地開発事業の急激な進行を背景として埋蔵文化財制度の整備が行われるとともに、各地で起こった伝統的な建造物群の景観保存の動きを背景として、建造物の保護について個々の物件を保護するだけでなく集落や町並みなどを面的に保護する伝統的建造物群保存地区制度が創設された。さらに平成16年には、環境破壊に対する反省から起きた景観保護の動きを背景に、棚田や里山などを重要文化的景観として選定し保護する制度が創設された。

　一方、それ自体は**文化財保護法**上定義された文化財ではないが、文化財保存に必要な修理技術や材料製造等についても昭和50年に選定保存技術の選定が行われ伝承者の養成等の取組を行うこととなった。また、近代化の過程で形成されてきた文化財的価値を有する建造物の消滅を抑止するため、文化財の指定制度を補完する緩やかな保護制度として、平成8年に文化財登録制度が創設され、その後、平成16年の改正によって建造物以外の有形文化財や有形の民俗文化財及び記念物に拡充された。さらに、令和3年の改正では、無形文化財や無形の民俗文化財も文化財登録制度の対象とされた。

　このように文化財保護の対象はより広く充実したものとなっていくが、平成30年の改正では、地域総がかりでの文化財の保存・活用を推進するため、文化財保存活用地域計画の認定制度（第183条の3）が始

まる。

　なお、平成13年に制定された**文化芸術振興基本法**には伝統芸能の継承及び発展（第10条）、文化財等の保存及び活用（第13条）が規定され、平成29年の改正により**文化芸術基本法**となって以降も規定の構造自体変更はない。この法律は**文化財保護法**制定よりはるか後に制定されたものであるが、文化芸術に関する施策の基本理念を明らかにしその方向性を示す基本法の性格に照らせば、**文化財保護法**は、文化政策に関する法律の体系上**文化芸術基本法**の下に位置付けられたものと言える。さらにこのことは、**文化芸術基本法**の前文における「伝統的な文化芸術を継承し、発展させるとともに、独創性のある新たな文化芸術の創造を促進する」という言葉とともに、我が国の文化行政における課題[注13]であった伝統的文化の保存・活用と新しい文化の創造のための施策の調和を意識したものとして理解できよう。

　なお、文化財保護に関連するもので、**文化財保護法**以外の法律を列挙すると概ね以下の通りである。

- **文化財の不法な輸出入等の規制等に関する法律**（平成14）
  　文化財の不法な輸入、輸出及び所有権移転を禁止し及び防止する手段に関する条約の国内措置として制定されたもの
- **海外の文化遺産の保護に係る国際的な協力の推進に関する法律**（平成18）★
  　海外の文化遺産の保護に係る国際協力について、国や教育研究機関の責務を明らかにするもの
- **武力紛争の際の文化財の保護に関する法律**（平成19）
  　武力紛争の際の文化財の保護に関する条約などの国内措置として制定されたもの
- **地域における歴史的風致の維持及び向上に関する法律**（平成20）
  　文化財を活かしたまちづくりを推進するため、文化財等の歴史的

価値の高い建造物を核として、その周辺に形成される良好な市街地の環境（歴史的風致）を維持向上させ、後世に継承を図るもの（歴史まちづくり法とも言われる。）
・文化観光拠点施設を中核とした地域における文化観光の推進に関する法律（令和2）
地域の文化観光推進の観点から、基本方針や拠点計画等の策定及び計画に基づく事業に対する特別の措置等を講じるもの
さらに、この他にも、**都市計画法、景観法、棚田地域振興法、遺失物法、銃砲刀剣類所持等取締法**などがある。

（3）　著作権
著作権に関する法制の歴史は古く、明治2年の**出版条例**に遡る。この条例は、出版者や著作者の保護を目的としているが、官許を受けるべきことを規定し、出版取締りに重点があったといわれている。本格的な著作権法が生まれたのは明治32年に不平等条約撤廃の条件とされた**ベルヌ条約**加入に伴う国内法整備によってであった。現在の**著作権法**は、昭和45年に70年ぶりに行われた著作権法制の実質的全面改正の所産である。
なお、著作権に関連するもので、**著作権法**以外の法律を列挙すると概ね以下の通りである。

・**連合国及び連合国民の著作権の特例に関する法律**（昭和27）
サンフランシスコ平和条約に基づき、連合国民の著作権の保護期間については、開戦時から各国の平和条約の発効日前日までの期間を加算するもの（いわゆる戦時加算）
・**万国著作権条約の実施に伴う著作権法の特例に関する法律**（昭和31）
・**プログラムの著作物に係る登録の特例に関する法律**（昭和61）

プログラムの著作物について、指定登録機関の指定等文化庁長官
が行う著作権登録とは別の特例を定めるもの

・**著作権等管理事業法**（平成 12）

　従来の著作権に関する仲介業務に関する法律に代わり、著作権及
び著作隣接権を管理する事業を行うものについて登録制度を実施
し、業務の適正な運営を確保するための措置を講じるもの

・**知的財産基本法**（平成 14）★

　知的財産の創造、保護及び活用に関する施策を集中的かつ計画的
に推進することを目的とし、この法律に基づき知的財産推進計画
が策定される。

・**コンテンツの創造、保護及び活用の促進に関する法律**（平成 16）★

　コンテンツの創造、保護及び活用の促進に関する基本理念を定
め、その中で施策の推進に当たって**文化芸術基本法**の基本理念の
配慮義務を規定

・**映画の盗撮の防止に関する法律**（平成 19）★

　映画の盗撮防止を図るため、刑事罰を課すもの

（4）　宗務

　昭和 26 年に制定された**宗教法人法**は、憲法上の要請である信教の自
由の保障や政教分離の原則にのっとり、宗教団体の自治を最大限尊重し
その活動を保障することを前提とする。そのため、**宗教法人法**において
は、宗教団体が礼拝の施設その他の財産の所有や宗教活動の業務運営に
資するため、宗教団体に法人格を与え、自由で自主的な活動をするため
の法的基盤を与えている。また、宗教法人の責任と公共性を重視する観
点も含まれており、所轄庁の行う認証を通じて宗教団体の実態を伴わな
い宗教法人の設立や法令に反する規則作成を防止するとともに、責任役
員制度や公告制度を設けている。

（5）　その他

・**博物館法**（昭和26）★
・**文化功労者年金法**（昭和26）

第2項　地方公共団体に関わる法制

　地方公共団体は、自治事務及び法定受託事務に関して条例を制定できることとなっている（**地方自治法**第14条第1項）。地方公共団体における一般的な文化の振興の事務は自治事務であり、地方公共団体はそれに関する条例を制定することができる。

　文化庁が行った調査^{（注14）}によると、平成26年度において文化振興のための条例を制定しているところは、28県、18政令指定都市・中核市、それ以外の市では82市となっている。

　平成29年の改正後の**文化芸術基本法**においては、第7条の2として新たに地方文化芸術推進基本計画の策定の努力義務が規定された。この計画は国の策定する文化芸術推進基本計画を参酌することとされているが、先ほどの調査によると、文化政策の指針等を策定しているところは、法改正前の時点で既に38県、49政令市・中核市、その他161市となっている。いわゆる文化振興条例が制定されている場合、これら指針等の策定に関し規定されていることが多い。

　文化財保護に関しては、**文化財保護法**の規定に基づき法定受託事務を国になり代わって執行するほか、**文化財保護法**の規定によりその権限に属する事務を自治事務として執行する。この中でも条例の定めるところにより行うとされている事務、例えば、地方公共団体による文化財の指定（**文化財保護法**第182条第2項）や地方文化財保護審議会の設置（同法第190条第1項）等に関しては、いわゆる文化財保護条例を制定している。

（資料1-5）主な文化関係法令の改正の沿革

	1967以前	1968〜1977	1978〜1987
基本法			
著作権 （条約）	文学的及び美術的著作物の 保護に関するベルヌ条約 締結（明治32年） 万国著作権条約（万国条約） 締結（昭和31年）	ベルヌ条約ブラッセル改正条約 締結（昭和49年） ベルヌ条約パリ改正条約 締結（昭和50年） 万国著作権条約パリ改正条約 締結（昭和52年）	許諾を得ないレコードの 複製からのレコード製作者の 保護に関する条約 （レコード保護条約） 締結（昭和53年）
著作権 （国内法）	出版条例 （明治2年行政官達） 著作権法 （明治32年法律39号） 著作権二関スル仲介業務二 関スル法律（仲介業務法） （昭和14年法律第67号） 連合国及び連合国民の著作権の 特例に関する法律 （昭和27年法律第302号） 万国著作権条約の実施に伴う 著作権法の特例に関する法律 （昭和31年法律第86号）	著作権法 （昭和45年法律第48号）	著作権法改正 （昭和53年10月14日施行 ／レコード保護条約対応） 商業用レコードの公衆への 貸与に関する著作者等の 権利に関する暫定措置法 （昭和58年法律第76号） 著作権法改正（昭和60年1月1日 施行／貸与権の創設等） 著作権法改正（昭和61年1月1日 施行／コンピュータ・ プログラム関係等） 著作権法改正 （昭和62年1月1日施行 ／データベース、 ニューメディア関係等） プログラムの著作物に係る登録 の特例に関する法律 （昭和61年法律第65号）
文化財 （条約）			

1988～1997	1998～2007	2008～2020
	文化芸術振興基本法（平成13年法律第148号）	「文化芸術基本法」に改正（平成29年6月23日施行）
実演家、レコード製作者及び放送事業者の保護に関する国際条約（隣接権条約）締結（平成1年）	著作権に関する世界知的所有権機関条約（WCT）締結（平成12年）	視聴覚的実演に関する北京条約締結（平成26年）
世界貿易機関を設立するマラケシュ協定（WTO協定）受諾（平成6年）	実演及びレコードに関する世界知的所有権機関条約（WPPT）締結（平成14年）	環太平洋パートナーシップに関する包括的及び先進的な協定（TPP11）国会承認（平成30年）
		盲人、視覚障害者その他の印刷物の判読に障害のある者が発行された著作物を利用する機会を促進するためのマラケシュ条約国会承認（平成30年）
著作権法改正（昭和63年11月21日施行／著作隣接権の保護期間、海賊版関係等）	著作権法改正（平成10年1月1日施行／WCT等対応）	著作権法改正（平成22年1月1日施行／インターネット等を活用した著作物等の利用円滑化措置等）
著作権法改正（平成元年10月26日施行／実演家等保護条約対応）	著作権法改正（平成10年10月1日、平成12年1月1日施行／技術的保護手段の回避等）	著作権法改正（平成25年1月1日施行／いわゆる「写り込み」等に係る規定の整備等）
著作権法改正（平成4年1月1日施行／レコードの保護強化等）	著作権法・万国著作権条約の実施に伴う著作権法の特例に関する法律改正（平成13年1月1日、平成14年3月6日施行／視聴覚障害者、救済罰則関係等）	著作権法改正（平成27年1月1日施行／電子書籍に対応した出版権の整備等）
著作権法改正（平成5年6月1日施行／私的録音録画に係る補償金制度の導入等）	仲介業務法改正・著作権等管理事業法（平成12年法律第131号）	著作権法改正（平成31年1月1日施行等／柔軟な権利制限規定等の整備等）
著作権法・万国著作権条約の実施に伴う著作権法の特例に関する法律改正（平成8年1月1日施行／WTO協定締結対応）	知的財産基本法（平成14年法律第122号）	著作権法改正（令和3年1月1日施行等／インターネット上の海賊版対策の強化等）
著作権法改正（平成9年3月25日施行／著作隣接権の保護強化等）	著作権法改正（平成14年10月9日、平成15年1月1日施行／放送事業者に対する送信可能化権の創設等）	
	著作権法改正（平成16年1月1日施行／「映画の著作物」の保護の強化等）	
	著作権法改正（平成17年1月1日施行／音楽レコードの還流防止措置等）	
	著作権法改正（平成19年1月11日、7月1日施行／IPマルチキャスト放送に依る放送の同時再送信等）	
	映画の盗撮の防止に関する法律（平成19年法律第65号）	
世界の文化遺産及び自然遺産の保護に関する条約受諾（平成4年）	文化財の不法な輸入、輸出及び所有権移転を禁止し及び防止する手段に関する条約受諾（平成14年）	
	無形文化遺産の保護に関する条約受諾（平成16年）	
	武力紛争の際の文化財の保護に関する条約批准（平成19年）	

	1967以前	1968〜1977	1978〜1987
文化財 （国内法）	古器旧物保存方 （明治4年布告） 古社寺保存法 （明治30年法律第49号） 史蹟名勝天然紀念物保存法 （大正8年法律第44号） 国宝保存法 （昭和4年法律第17号） 重要美術品等ノ保存ニ関スル法律（昭和8年法律第43号） 文化財保護法 （昭和25年法律第214号） 文化財保護法改正 （昭和29年7月1日施行／重要無形文化財及び重要民俗資料の指定制度の創設等） 銃砲刀剣類所持等取締法 （昭和33年法律第6号）	文化財保護法改正 （昭和50年10月1日施行／民俗文化財の制度の充実、伝統的建造物群保存地区制度及び文化財保存技術の保護制度の創設）	
文化芸術			
宗務	宗教団体法 （昭和14年法律第77号） 宗教法人令 （昭和20年勅令第719号） 宗教法人法 （昭和26年法律第126号）		
組織・独法等	国立国語研究所設置法 （昭和23年法律第254号） 国立劇場法 （昭和41年法律第88号）	文部省設置法改正 （昭和43年6月15日施行／文化庁創設）	国家行政組織法の一部を改正する法律の施行に伴う関係法律の整備等に関する法律（昭和58年法律第78号／国立国語研究所設置法廃止）
その他			

1988〜1997	1998〜2007	2008〜2020
地域伝統芸能等を活用した行事の実施による観光及び特定地域商工業の振興に関する法律（平成4年法律第88号） 接収刀剣類の処理に関する法律（平成7年法律第133号） 文化財保護法改正（平成8年10月1日施行／文化財登録制度創設等） 美術品の美術館における公開の促進に関する法律（平成10年法律第99号）	文化財保護法改正（平成12年4月1日施行／地方分権に向けた国の権限の都道府県等への移譲や機関委任事務制度の廃止等） 文化財の不法な輸出入等に規制等に関する法律（平成14年法律第81号） 文化財保護法改正（平成17年4月1日施行／文化的景観を新たに保護の対象とする等） 海外の文化遺産の保護に係る国際的な協力の推進に関する法律（平成18年法律第97号） 武力紛争の際の文化財の保護に関する法律（平成19年法律第32号）	地域における歴史的風致の維持及び向上に関する法律（平成20年法律第40号） 海外の美術品等の我が国における公開の促進に関する法律（平成23年法律第15号） 展覧会における美術品損害の補償に関する法律（平成23年法律第17号） 地域自然資産区域における自然環境の保全及び持続可能な利用の促進に関する法律（平成26年法律第85号） 文化財保護法改正（平成31年4月1日施行／地域における文化財の総合的な保存・活用等） 文化観光拠点施設を中核とした地域における文化観光の推進に関する法律（令和2年法律第18号）
音楽文化の振興のための学習環境の整備等に関する法律（平成6年法律第107号）		劇場、音楽堂等の活性化に関する法律（平成24年法律第49号） 障害者による文化芸術活動の推進に関する法律（平成30年法律第47号） 国際文化交流の祭典の実施の推進に関する法律（平成30年法律第48号）
宗教法人法改正（平成8年9月15日施行／宗教法人の管理運営の民主性、透明性の向上のため）		
国立劇場法改正・特殊法人日本芸術文化振興会法（平成2年3月30日施行）	独立行政法人国立国語研究所法（平成11年法律第171号） 独立行政法人国立美術館法（平成11年法律第177号） 独立行政法人国立博物館法（平成11年法律第178号） 独立行政法人文化財研究所法（平成11年法律第179号） 独立行政法人日本芸術文化振興会法（平成14年法律第163号） 独立行政法人国立博物館法改正、文化財研究所法廃止により、独立行政法人国立文化財機構に統合（平成19年4月1日施行）	独立行政法人に係る改革を推進するための文部科学省関係法律の整備等に関する法律等により、国立大学法人法に基づく大学共同利用機関法人人間文化研究機構内の一機関として位置付け（平成21年10月1日施行／独立行政法人国立国語研究所廃止） 文部科学省設置法改正（平成30年10月1日施行／文化庁の抜本的機能強化等）
アイヌ文化の振興並びにアイヌの伝統等に関する知識の普及及び啓発に関する法律（平成9年法律第52号）	文字・活字文化振興法（平成17年法律第91号）	古典の日に関する法律（平成24年法律第81号） 特定興行入場券の不正転売の禁止等による特定興行入場券の適正な流通の確保に関する法律（平成30年法律第103号）

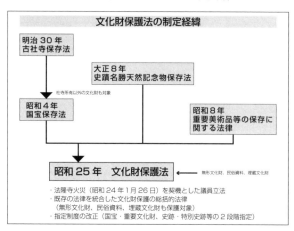

（資料1-6）文化財保護法の制定経緯

文化財保護法の制定経緯

明治30年
古社寺保存法

↓ 社寺所有以外の文化財も対象

大正8年
史蹟名勝天然記念物保存法

昭和4年
国宝保存法

昭和8年
重要美術品等の保存に
関する法律

昭和25年　文化財保護法 ← 無形文化財，民俗資料，埋蔵文化財

・法隆寺火災（昭和24年1月26日）を契機とした議員立法
・既存の法律を統合した文化財保護の総括的法律
　（無形文化財、民俗資料、埋蔵文化財も保護対象）
・指定制度の改正（国宝・重要文化財、史跡・特別史跡等の2段階指定）

第3節　文化芸術の支援

第1項　国の予算

　文化政策に関わる予算は、これまで文化庁に計上されているものを指すものとして、経年の変化や政府全体の一般会計予算に占める割合などとして理解されてきた（ただし補正予算は除く。）。

　文化庁の令和2年度の予算構造は、芸術文化の振興に関するものが約22％、文化財の保存・活用に関するものが約44％、独立行政法人の運営に関わるものが約30％であり、この3つの領域で9割以上を占めている（資料1-7参照）。とりわけ文化財の保存・活用に関する割合が高いのは、歴史的に国主導で行われてきた文化財保護行政において、特に国指定の文化財の管理には規模的にも技術的にも経費がかさむことから、所有者や管理団体に対して高率の補助を行い、建造物の保存修理や史跡等の保存整備などのハード整備に全体の3分の1を占める予算が必要となっていることによる。

文化の幅を広く捉える**文化芸術基本法**の成立やそれに伴う**文部科学省設置法**改正を経て、文化政策の策定に当たって、文化庁が他府省の文化関連事業の状況をその予算額も含めて把握することが可能となった。しかし、各府省の事業はそれぞれの行政目的を果たすためにその責任の下に予算を計上し執行していることから、文化政策に関わる予算総額の中に各府省の予算に計上された文化関連事業の予算額を含めていない。一方、令和元年度予算からは、新たな税財源である国際観光旅客税財源^(注15)を用い、文化庁において文化観光振興の観点に立った予算執行が始まる。国際観光旅客税財源を充当する予算は文化庁執行分も含め観光庁に一括計上されているが、文化庁執行分については、文化庁における施策全体の事業規模を可視化する必要上、文化庁の予算総額と併せて示すこととしている。

　これらのことを念頭に置いた上で、文化庁予算規模の推移を見てみると、平成15年度に1,000億円台に到達して以降、微増の傾向が続いている（資料1-8参照）。しかし、国の予算全体の規模も少しずつ拡大しているため、国全体の予算に占める割合で見れば約0.1％と文化庁創設間もない頃から大きな変化は無い。

　この他、平成2年には政府出資金500億円、民間からの寄附金112億円の合計612億円による芸術文化振興基金が創設され、現在は（独）日本芸術文化振興会においてその運用益による芸術文化支援が行われている。基金の規模は、令和元年時点で政府出資金541億円、民間からの寄附金153億円の合計694億円となっているが、近年の金利低下の影響を受けて運用益は低迷している。

第2項　税制

　文化芸術に対する支援策を考えた場合、各種支援事業の予算措置だけでなく、税制上の措置も重要な役割を果たす。文化芸術支援につながる

ものとしては、文化芸術関係団体への寄附を行った際の優遇措置がある。すなわち、芸術の普及向上や文化財の保存活用、博物館の設置運営等を主な目的とする特定の民法法人のうち、一定の要件を満たす「特定公益増進法人」に対する寄附について、その寄附者に対し所得税の寄附金控除あるいは法人税の損金算入の特例が認められている。これ以外にも、災害に伴う文化財の修復に向けて幅広く資金を集めるため、寄附者に対して優遇措置を講じる指定寄附金のように個別に認められる優遇措置もある。また、指定文化財の所有者が文化財を適切に管理する上で必要な優遇措置として、固定資産税の非課税や課税標準の軽減等が行われている。さらに、優れた美術品の美術館での公開を促進するため登録美術品の相続税の物納について特例措置が設けられているなど、様々な措置が講じられている（資料1-9参照）。

　なお、平成30年の**文化財保護法**改正に伴い、美術工芸品に関して保存活用計画の認定を受け、美術館等に寄託・公開した場合の相続税の納税猶予措置が設けられた。

　このような税制上の優遇措置については、恒久的なものと時限が設けられているものがあり、文化芸術の振興のためにどのような優遇税制を要望していくかは、毎年度の予算要求とともに重要な政策となっている。

第3項　地方公共団体の文化関係経費

　地方公共団体の文化関係経費は、国の予算構造とは反対に、文化財保護経費が少なく芸術文化振興の関係経費が多いという特徴がある。これは文化財保護行政が歴史的に国主導で進められてきたことと無関係ではない。

　昭和50年代になると、地域住民が、芸術文化の享受にとどまらず生活文化も含めて文化活動に参加していく中で、地方行政においては、芸術文化だけでなく生活文化も含めた文化が地域づくりの核として捉えら

れるようになる。地方行政において、このようないわゆる「行政の文化化」の動きがみられた頃には、地域では産業振興よりも保健・福祉や教育・文化・スポーツの振興、地域のイメージアップづくり等が中心的な事業分野となりつつあったといわれており[注16]、文化会館などの文化施設経費を計上している知事部局の文化関連経費は増大した。しかし、地方公共団体の文化関係経費全体の規模は平成5（1993）年度をピークに減少する。この原因は、昭和60年代以降には文化施設整備が一段落したことと、バブル経済の崩壊で地方財政が悪化し文化施設建設費が急激に減少したことが考えられる。

　なお、最近の地方自治体の文化関係経費全体の規模の推移を見る限り、地方公共団体の文化振興に関する支出規模は4,000億円台で増加傾向にある（資料1-10参照）。

第4項　地方財政措置

　地方公共団体の文化関係経費の支出規模を見ると、芸術文化関連の事業の多くが地方公共団体において実施されていることがわかる。国においては、地域間の財政の均衡を図るために国税の一定割合を地方交付税として支出し、あるいは地方債の起債許可を行っているが、こうした地方財政措置は、芸術文化も含んだ文化芸術振興における地方公共団体の役割を期待する上で大切な役割を果たす。例えば文化財の適切な管理においては、国指定文化財の管理団体である地方公共団体の財政負担が課題となり、それを軽減するためにも、国の補助金のいわゆる補助裏としての地方交付税等の措置は極めて重要である。最近では、平成30年の**文化財保護法**改正で制度化された文化財保存活用計画の策定に当たり、地方公共団体において専門家等の必要な体制を整えるためのインセンティブ付与として、地方財政措置が講じられた（第4部第2節第3項参照。）。

このような地方財政措置の役割に照らし、新たな制度を作る過程においては、必要な予算確保とともに、地方交付税や地方債などの措置も併せて検討される。

第5項　メセナ活動
　我が国においては1980年代後半から、企業等において、企業市民としての自覚のもとに社会貢献の一環としてのメセナ（芸術文化支援）活動に対する意識が高まったと言われている。
　平成2年（1990年）には、企業によるメセナ活動推進に向け、支援

（資料1-7）令和2年度予算の内訳

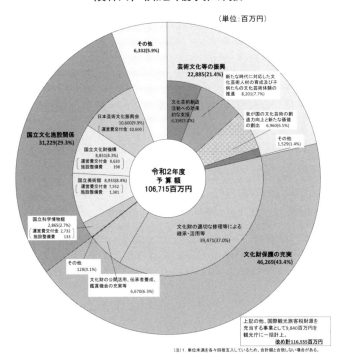

（単位：百万円）

令和2年度
予算額
106,715百万円

その他
6,332(5.9%)

芸術文化等の振興
22,885(21.4%)
新たな時代に対応した文化芸術人材の育成及び子供たちの文化芸術体験の推進　8,201(7.7%)
文化芸術創造活動への効果的な支援　6,195(5.8%)
我が国の文化芸術の創造力向上と新たな価値の創出　6,960(6.5%)
その他　1,529(1.4%)

日本芸術文化振興会
10,600(9.9%)
運営費交付金 10,600

国立文化施設関係
31,229(29.3%)

国立文化財機構
8,831(8.3%)
運営費交付金 8,633
施設整備費 198

国立美術館 8,933(8.4%)
運営費交付金 7,552
施設整備費 1,381

国立科学博物館
2,865(2.7%)
運営費交付金 2,732
施設整備費 133

その他
128(0.1%)

文化財の公開活用、伝承者養成、鑑賞機会の充実等
6,670(6.3%)

文化財の適切な修理等による継承・活用等
39,471(37.0%)

文化財保護の充実
46,269(43.4%)

上記の他、国際観光旅客税財源を充当する事業として9,840百万円を観光庁に一括計上。
改め計116,555百万円

（注）1. 単位未満を各々四捨五入しているため、合計額と合致しない場合がある。

したい企業と支援を受けたい芸術文化団体のマッチング支援を行うなど、企業のメセナ活動が活発に行われるための条件整備を主な目的として社団法人企業メセナ協議会が設立された。協議会の主な事業として「助成認定制度」があり、認定を受けた文化芸術活動に対して寄附を行う場合の所得控除や損金算入などの税制上の優遇措置が講じられている。

　このほかにも、企業が自ら文化事業を行ったり博物館や音楽堂等を設置したり、企業財団を設立し各種の助成事業や公演事業を行うなど、企業等による芸術文化支援の形態は多様なものがある。

（資料1-8）文化庁予算額の推移

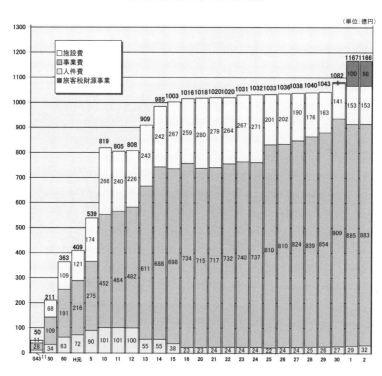

（資料1-9）文化関係税制

	事項	措置内容※現状	
国税	特定公益増進法人への寄附	〔公益社団・財団法人〕等、地方独立行政法人（博物館相当施設の設置・管理業務を主たる目的とするもの）〕	〔個人の寄附金〕 ①「寄附金額（注1）－2千円」を所得控除（所得税） ②「寄附金額（注1）－2千円」を所得控除（所得税） または 「（寄附金額（注1）－2千円）×40％」（注2）を税額控除（所得税） ※いずれか有利な方を寄附者が選択可
		〔独立行政法人〕 ・国立美術館 ・国立文化財機構 ・国立科学博物館 ・日本芸術文化振興会（平成15年10月～）	
	認定特定非営利活動法人への寄附	・学術、文化、芸術又はスポーツの振興を図る活動	※左欄の下線の法人のうち、一定の要件を満たす法人のみ対象
	認定特定公益信託	・芸術の普及向上に関する業務（助成金の支給に限る）を行う公益信託 ・文化財の保存活用に関する業務（助成金の支給に限る）を行う公益信託	〔法人の寄附金〕 一般の寄附金の損金算入限度額とは別に「（所得金額の6.25％＋資本金等の金額の0.375％）×1/2」を損金算入（法人税）
	指定寄附金	〔公益社団・財団法人その他公益を目的とする事業を行う法人〕 国宝・重要文化財の修理・防災施設の設置に要する費用	〔個人の寄附金〕 「寄附金（注1）－2千円」を所得控除（所得税） 〔法人の寄附金〕 寄附金を全額損金算入（法人税）
	相続財産の寄附	〔公益社団・財団法人等〕	非課税（相続税）
		〔独立行政法人〕 ・国立美術館 ・国立文化財機構 ・国立科学博物館 ・日本芸術文化振興会（平成15年10月～）	
		〔認定特定非営利活動法人〕 学術、文化、芸術又はスポーツの振興を図る活動	
	重要文化財等の譲渡所得	国、地方公共団体、独立行政法人国立美術館・国立文化財機構・国立科学博物館、博物館相当施設の設置及び管理業務を主たる目的とする地方独立行政法人に対する重要文化財（動産または建物）の譲渡	非課税（所得税）
		国、地方公共団体、独立行政法人国立美術館・国立文化財機構・国立科学博物館に対する重要有形民俗文化財（土地を除く）の譲渡（時限措置につき要確認。）	1/2課税（所得税）
		国、地方公共団体、独立行政法人国立文化財機構・国立科学博物館、博物館相当施設のうち博物館又は植物園を設置する地方独立行政法人に対する重要文化財・史跡名勝天然記念物として指定された土地の譲渡	2,000万円を限度とする特別控除（所得税）、損金算入（法人税）

	重要文化財の相続・贈与	重要文化財である家屋等（土地を含む）の相続・贈与	財産評価額の70/100を控除（相続税・贈与税）
		登録有形文化財である家屋等（土地を含む）の相続・贈与	財産評価額の30/100を控除（相続税・贈与税）
		伝統的建造物（文部科学大臣が告示するもの）である家屋等（土地を含む）の相続・贈与	財産評価額の30/100を控除（相続税・贈与税）
	登録美術品の相続	納付すべき相続税額について、登録美術品を相続税として物納	物納の優先順位を第3位から第1位に繰り上げ
	重要文化財・登録有形文化財（美術工芸品）の相続	保存活用計画を策定し、国による認定を受け、美術館等に寄託・公開された重要文化財・登録有形文化財（美術工芸品）の相続	猶予（相続税）
地方税	重要文化財等の所有	国宝、重要文化財、重要有形民俗文化財、史跡名勝天然記念物（家屋及びその敷地）	非課税（固定資産税・特別土地保有税・都市計画税）
		登録有形文化財（家屋）	1/2課税（固定資産税・都市計画税）
		登録有形民俗文化財（家屋）	1/2課税（固定資産税・都市計画税）
		登録記念物（家屋及びその敷地）	1/2課税（固定資産税・都市計画税）
		重要文化的景観を形成している家屋（文部科学大臣が告示するもの）及びその敷地	1/2課税（固定資産税・都市計画税）
		重要伝統的建造物群保存地区内の伝統的建造物である家屋（文部科学大臣が告示するもの）	非課税（固定資産税・都市計画税）
		重要伝統的建造物群保存地区内の伝統的建造物の家屋の敷地等	税額を適宜免除・軽減（固定資産税・都市計画税）
		公益社団・財団法人が所有する重要無形文化財の公演のための施設（家屋及びその敷地）（時限措置につき要確認。）	1/2課税（固定資産税・不動産取得税・都市計画税）
	障害者等に対応した劇場・音楽堂等の所有	障害者・高齢者に対応してバリアフリー対策を行い、基準を満たした劇場・音楽堂等）（時限措置につき要確認。）	2/3課税（固定資産税・都市計画税）

※重要文化財等に係る地価税については非課税の取扱いがなされているが、平成10年より、地価税の課税は停止されている。
（注1）総所得金額の40％を限度
（注2）所得税額の25％を限度

（資料1-10）地方自治体における文化関係各経費の推移

（単位：億円）

年度	都道府県全体	市町村全体	合計	芸術文化経費全体	都道府県芸術文化経費	市町村芸術文化経費	芸術文化事業費	文化施設経費	文化施設建設費	文化財保護経費全体	都道府県文化財保護経費	市町村文化財保護経費
1992	2,523	5,692	8,215	6,971	2,098	4,873	489	1,572	4,909	1,244	425	819
1993	2,586	6,963	9,550	8,172	2,085	6,088	584	1,710	5,879	1,377	502	876
1994	2,432	6,354	8,786	7,443	1,915	5,528	989	1,968	4,486	1,343	517	826
1995	1,998	6,114	8,112	6,670	1,432	5,239	579	2,160	3,931	1,441	566	875
1996	2,132	6,350	8,482	7,090	1,517	5,572	728	2,825	3,537	1,393	615	778
1997	2,123	6,256	8,379	6,997	1,560	5,437	771	2,403	3,823	1,383	562	820
1998	2,171	4,756	6,928	5,586	1,614	3,972	545	2,199	2,842	1,341	557	785
1999	1,568	4,424	5,993	4,638	1,045	3,593	544	2,206	1,888	1,354	523	831
2000	1,920	4,667	6,587	5,277	1,455	3,822	494	2,406	2,377	1,310	464	845
2001	1,333	4,317	5,651	4,534	888	3,645	637	2,214	1,682	1,117	445	672
2002	1,171	3,850	5,021	4,105	879	3,226	682	2,229	1,194	916	292	624
2003	1,083	3,851	4,934	4,150	834	3,316	688	2,109	1,354	783	249	535
2004	1,283	3,362	4,645	3,909	1,040	2,869	668	2,016	1,225	736	243	493
2005	1,168	2,815	3,983	3,228	885	2,344	649	1,957	623	754	283	471
2006	967	2,809	3,776	3,142	734	2,408	563	2,107	472	633	233	400
2007	813	2,515	3,328	2,700	615	2,086	602	1,810	288	627	198	429
2008	803	2,551	3,355	2,693	613	2,080	622	1,784	287	662	190	471
2009	848	2,813	3,661	2,969	655	2,314	611	1,834	524	691	193	498
2010	868	2,533	3,402	2,741	681	2,060	556	1,752	432	661	187	474
2011	940	2,610	3,551	2,922	781	2,142	623	1,814	486	629	160	469
2012	798	2,754	3,552	2,944	654	2,290	578	1,740	625	609	144	464
2013	811	2,827	3,638	2,982	653	2,329	604	1,844	535	655	158	498
2014	936	3,199	4,135	3,425	764	2,662	570	2,132	723	710	173	537
2015	1,067	3,190	4,257	3,550	927	2,623	849	2,013	688	707	140	567
2016	1,070	3,419	4,489	3,710	892	2,817	710	2,191	808	779	178	602
2017	988	3,368	4,356	3,414	776	2,638	760	2,113	542	942	212	730
2018	1,175	3,525	4,670	3,825	976	2,850	724	2,403	698	875	199	676

第4節　国の文化政策の企画・立案

第1項　文化政策の企画・立案過程

　第1章第2節で述べた基本方針や基本計画などの国全体の文化政策は、全体の統一した方向性の下に体系的に整理された個々の施策の集合体とも言え、個々の施策は、ことがらに応じ文化庁の担当部局が企画・立案し、決定した上で実施に移される。如何なるレベルで決定されるか

は、文書決済の場合、内部規定によって一般的な取扱いが決まっている。日常の政策形成過程における政策判断は、ことがらの軽重や緊急性などに応じ、文書化された資料や口頭での説明を担当者から受け、決裁権者によって行われるのが基本である。一方、文化庁における判断だけで決定できない施策、例えばユネスコ世界文化遺産登録に向けた推薦案件の決定は閣議了解が必要であり、その前段階として関係省庁連絡会議が開催される。さらに、法律案や文化芸術推進基本計画等の重要な行政計画の策定など、閣議決定を伴うような施策は、関係省庁との調整だけでなく、事前に与党の了解も必要となる。

　国の文化政策の企画・立案過程を法制的に見てみると、国家行政組織は内閣の統轄の下に、その政策について、自ら評価し、企画及び立案を行う（**国家行政組織法**第2条第2項）ことから、国の文化政策はそれを所管する文化庁において策定されることとなる。

　文化政策は、その策定から実施にわたって様々なレベルの企画・立案がなされる。例えば各種調査の企画や行政計画の策定、審議会運営における答申案の作成、法律案の策定、法律の施行に伴う政省令案や通知案の作成、毎年度の予算の要求に向けた事業案の企画や事業実施における基準等の作成など実に多様なものがある。

　とりわけ近年は、制度の改廃などの政策運営あるいは効率的な財政運営の観点から政策評価[注17]が重要となっており、個々の施策の評価如何がその改廃の判断に影響を及ぼし、新たな施策の検討段階における論点となる。**文化芸術基本法**に基づき策定された文化芸術推進基本計画（第1期）においては、施策の着実かつ継続的な実施を図るとともに、国民への説明責任の向上を果たす観点から評価・検証サイクル（文化芸術政策のPDCAサイクル）を確立することとされており、文化庁では計画の策定や評価・検証に当たってあらかじめ文化審議会の意見を聴いている。

（資料1-11）政策形成過程の概念図（法律の制定を例に）

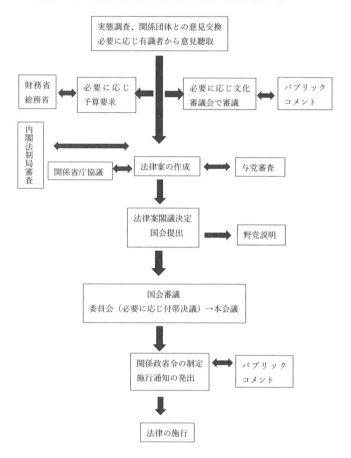

第2項　計画の策定

　文化政策の中でも、行政計画を策定し、期間を明示し期間中の取組を施策群として示すことは、文化庁の任務である文化に関する施策の総合的推進を図る上で重要である。すなわち、達成すべき目標を掲げ、その

下に各種施策を体系的に「見える化」し、中長期的な見通しをもって関係部署間で共通認識を持って取り組めるようにすることが、各施策間の整合性を確保しつつ限りある資源の効率的・効果的な投入につながる。また、計画の公表を通じて将来の政策展開の予見性を高めることにより、行政としての説明責任を果たすことにもなる。

　改正前の**文化芸術振興基本法**（平成13年制定）においては、文化芸術に関する基本的施策を規定するとともに、「文化芸術の振興に関する基本的な方針」の策定を国に義務付けていたが、**文化芸術基本法**においては、国が行う文化政策をより具体的に示すために文化芸術推進基本計画（以下「基本計画」という。）の策定を国に義務付けた。平成30年3月6日に閣議決定された基本計画（第1期）は、これまでの基本方針に比べより具体的かつ他府省の施策も含めた広範囲なものとなり、さらに、フォローアップが可能になるよう進捗状況を把握するための指標も設けられた。

　なお、文化庁には、今後20年〜30年先を見通して文化行政長期総合計画懇談会が昭和52年3月にまとめた「文化行政長期総合計画」、文化政策推進会議の報告を踏まえ文化庁が平成10年3月に策定した「文化振興マスタープラン」などがあったが、いずれも文化庁の政策の方向性をまとめた文書であり、フォローアップの仕組みも無いことから行政計画というより政策方針と言うべきものである。

　文化政策に関する計画の策定については、平成13年の**文化芸術振興基本法**制定当時においても、文化芸術の振興に関する基本的な方針の名称を巡って「方針」か「計画」かの議論があったと言われており、文化芸術活動は「計画」になじまないとの意見も多く「方針」になった背景には、**文化芸術振興基本法**の立法過程特有の事情 ^(注18) があったことを考慮する必要がある。しかし、文化政策においては、芸術文化振興以外にも、文化財保護や日本語教育推進など整備実態に応じた資源配分を計

画的に進める必要のある政策分野もあり、文化政策全般を「計画」になじまないと一括することは適切でない。

第3項　審議会の関与

　重要な文化政策の策定過程においては、審議会などの合議制の機関が関与することがある。国の行政機関には、重要事項に関する調査審議等を行う合議制の機関を置くことができる（**国家行政組織法**第8条）とされ、文化庁に置かれる審議会として文化審議会及び宗教法人審議会がある（**文部科学省設置法**第20条）。

　文化審議会は平成13年の中央省庁再編の折、それまで行政課題ごとに置かれていた4つの審議会（国語審議会、著作権審議会、文化財保護審議会、文化功労者選考審査会）を整理・統合してできたものであり、宗教に関するものを除き文部科学大臣又は文化庁長官の諮問に応じ文化庁の任務に係る重要事項全般にわたって調査審議（同法第21条第1項第1号、3号）し、あるいは意見を述べる（同項第2号、4号）。また、基本計画案の策定に当たっての文化審議会からの意見聴取（**文化芸術基本法**第7条第3項)、国宝や重要文化財の指定（**文化財保護法**第153条第1項第1号）や教科用図書に著作物を掲載する場合の補償金の額の決定（**著作権法**第71条第1号）における文化審議会への必要的諮問など、個別の法律の規定に基づき文化審議会の権限に属させられた事項を処理する。

　それまでは、文化庁に文化政策全般を審議する審議会は存在しなかったため、文化政策について審議する場合は、私的諮問機関において行うことが通例であった。しかし、私的諮問機関には法的根拠が無く、平成10年の文化振興マスタープランにおいても文化政策の審議機能の強化や法的基盤の整備を検討するとされていた。文化審議会設置後は、文化審議会の下に文化政策部会を置いて政策審議機能の強化が図られた。

なお、平成30年の**文部科学省設置法**の改正により、学校における芸術教育が文化庁に移管されたが、学習指導要領の在り方の議論は、他教科も含めた学習指導要領全体の一体的な議論が必要であることから、中央教育審議会で行われることとなる。

　審議会は諮問機関といわれるように、通常、文部科学大臣や文化庁長官の諮問に応じて審議が行われる。この場合、審議会運営における担当部局（通常、事務局といわれる。）の役割としては、諮問に係る関係資料の作成などがある。とりわけ、政策の方向性について諮問を行った場合においては、答申を得るまでの審議の過程で、事務局が議事録を整理し、論点を洗い出し、議論を集約していくことになるが、これらの過程こそが、文化政策形成において事務局が担う企画・立案の本質と言える。

第4項　文化政策形成過程における立法府の関わり

　政府の文化政策の形成過程における立法府の関わりは、例えば、法律の制定や予算の策定などの場面では、委員会や本会議での法律案や予算案の審議といった関わりが中心となる。国会に提出された法律案や予算案は多数決をもって決せられることから、政府としては、議案について評決行動をとる国会議員から多数の支持を得る努力をすることはもちろんであるが、法律案や予算案の国会提出を政府として決定する場合には、前もって与党の審査を経て了承を得なければならない。

　一般的に政党の同意を得た案件については、当該政党所属の国会議員はその決定に従った評決行動をとる（党議拘束）ことになるため、国会提出後は野党に対しても説明し議案について理解を得る努力を行う。そしてそれらの議案についての審査の過程で、国会議員は所属の政党の公約や議員連盟などの特定の政策集団の掲げる政策目標あるいは個々議員の政治信条に照らして国会質問や照会、陳情などの形で政府の文化政策に深く関わりを持つ。

なお、前述した通り、芸術文化分野に関わる法整備において、これま
で、特定の政策集団による議員立法を目指した活動が重要な役割を果た
してきており、その意味では、政府と立法府との協働が特に大切な政策
分野と言えよう。

注

1　政策決定に際して、法令に根拠がある審議会とは別に、法令の根拠のない懇談
　会（いわゆる私的諮問機関）という形で外部の有識者から意見を聴くことがあ
　る。公費により運用され、政策に対する一定の影響力を持つ一方、提言等につ
　いての責任主体が明確でないなど批判を招くこともある。

2　行政改革会議最終報告においては、行政目的別大括り再編成後の新たな省には、
　担当する行政目的の遂行に照らし必要な分野について各省との調整権を付与す
　るほか、所管外の事務・事業に関しても、当該省の行政目的実現の観点から互
　いに意見を述べ、提案を行い得る仕組みを創出することとされた。

3　枝川明敬『文化芸術への支援の理論と実際』東京藝術大学出版会 2015　114 頁

4　文化振興マスタープランには、資料として他省庁（当時の文部省を含む。）にお
　ける文化に関する施策の概要が添付されており、他省庁の施策の状況も意識さ
　れていたことがわかる。

5　同基本方針においては、「文化力」に関し「美しい自然や歴史・伝統に基づく文
　化芸術は、人々に精神的な豊かさや感動を与えるとともに、人々のコミュニケー
　ションを活発化し、生きる勇気と喜びをもたらす普遍的な力を持っている」と
　述べる。

6　文化の定義については、現在の文部科学省設置法に規定はない。旧文部省設置
　法第 2 条においては「芸術及び国民娯楽、文化財保護法に規定する文化財、出
　版及び著作権その他の著作権法に規定する権利並びにこれらに関する国民の文
　化的生活向上のための活動」と定義されていたが、この考え方は現在も概ね当
　てはまるものである。

7　文化芸術推進基本計画（第 1 期）第 2 目標 3

8　根木は「1980 年代以降、各地において、中央文化の優越性という歴史的認識か
　ら脱却し、地域の文化的主体性・自律性を確立していこうとする動きが見られ
　るようになった。……『地方の時代』は文化行政と表裏一体をなすものであり、
　地域の側から提起された『文化の時代』の主張でもあった。」と指摘する。根木
　昭編著『文化政策の展開—芸術文化の振興と文化財の保護—』放送大学教育振

興会 2007　47 - 48頁

9　根木昭・佐藤良子『文化政策学要説』悠光堂 2016　63頁

10　河村建夫・伊藤信太郎『文化芸術基本法の成立と文化政策─真の文化芸術立国に向けて─』水曜社 2018　57頁

11　枝川明敬『文化芸術への支援の理論と実際』東京藝術大学出版会 2015　60頁

12　文化庁編「文化行政の歩み　文化庁創設 10 周年にあたって」(1978)参照。なお、国宝については文化庁長官による修理命令（文化財保護法第 37 条第 1 項）や直接修理等（同法第 38 条）の固有の規制を受ける。

13　文化庁「文化行政長期総合計画について　文化行政長期総合計画懇談会まとめ」昭和 52 年 3 月　第一 2.（2）イ

14　文化庁「地方における文化行政の状況について（平成 26 年度)」平成 28 年 7 月。なお、この調査における「文化振興のための条例」とは、地方公共団体における文化振興全般について規定する条例であり、基金や文化施設等の管理運営、文化財保護に関するものを除く。また、「文化政策の指針等」とは、地方公共団体における文化振興全般、市民や文化団体による芸術文化振興について規定する計画、指針等で、平成 13 年 12 月の文化芸術振興基本法施行以降に策定されたもの。

15　国際観光旅客税は、観光先進国実現に向けた観光基盤の拡充・強化を図るための恒久財源確保に向けて創設され、その使途については、観光立国推進閣僚会議が基本方針を定め執行官庁を特定している。文化庁では、令和元年度以降、この財源を用いて、文化資源を活用した観光インバウンドのための環境整備に関する事業を本格的に実施している。

16　枝川明敬『文化芸術への支援の理論と実際』東京藝術大学出版会 2015　139頁

17　政策評価は、従来の行政が法律の策定や予算の獲得等に重点が置かれ、その効果やその後の社会の変化に基づく見直しが軽視されている状況を打開しようとするもので、政策評価の機能は Plan（企画立案）Do（実行）Check（評価）Action（企画立案への反映）の政策マネジメントサイクルとして説明される。

18　当時、文化芸術振興基本法の推進母体となったのは音楽議員連盟（後に文化芸術振興議員連盟に改称。）であった。

第2部

文化行政 50 年の軌跡

文化庁は、昭和43年の行政機構の簡素化を巡る一局整理削減の動きの中で、ヨーロッパ的な文化の振興を図る芸術文化行政と国語、著作権及び宗務に関する行政を所掌していた旧文部省の文化局と、伝統的な文化としての文化財の保護行政を所掌していた旧文部省の外局である文化財保護委員会を統合して設置されたものである。

当時の認識として、文化庁の創設は、行政改革の機会を活かしてその当時の行政需要に積極的に応えようとしたものと理解されていたが、このような成り立ちは、後述するように文化庁の京都移転という課題に直面するに当たって、文化行政を巡る今日的課題に組織的・効率的に対応すべく、文化行政を大きく発展させようとする動きと相似しており、興味深い。

平成30年の文部科学省設置法改正により、現在の文化庁の任務は、「文化の振興その他の文化に関する施策の総合的な推進並びに国際文化交流の振興及び博物館による社会教育の振興を図るとともに、宗教に関する行政事務を適切に行うこと」と規定されている（文部科学省設置法第18条）。このうち文化の振興については、平成13年の中央省庁再編の際に、従来の文部省設置法に規定されていた文化財の保存及び活用を含む概念として整理されたものである。

国際文化交流の振興については、中央省庁再編の基となる行政改革会議の最終報告（平成9年12月）の中で国際文化交流については「文化庁がより重要な役割を果たす」とされた経緯があり、当該最終報告に基づき平成10年に成立した中央省庁等改革基本法第26条の規定を踏まえ、従来から文化の振興や文化財の保存及び活用の任務の中で行われていたものを明示的に規定したものである。

文化に関する施策の総合的な推進及び博物館による社会教育の振興は、平成30年改正で追加された事務である。前者については、文部科学省設置法に先行して改正された文化芸術振興基本法（文化

芸術基本法に名称変更）に基づき文化芸術推進基本計画の策定に関して文化行政に関する政府全体の取りまとめを行っていたものを、同法改正法附則第2条の規定に基づき、文化庁の策定する各省横断の基本政策の提示や、その下での関連事務の調整を行うことを文化庁の任務として規定したものであり、後者は、博物館に関する行政を一体的に推進する体制を整備するために旧生涯学習政策局から移管された事務である。

　このように多少の変遷はあるも、文化庁の設置当初の任務「文化の振興及び普及並びに文化財の保存及び活用を図るとともに、宗教に関する国の行政事務を行なうこと」の3つの柱は50年余りを経た現在においても基本的には変わっていない。また、第1部でみたように、文化庁の政策形成の在り方は社会情勢の変化に伴い変容するものの、国全体の文化行政を総合的に捉えるべきことや地方文化を大切にしていく思想などは文化庁の組織文化として脈々と受け継がれていることがわかる。

　国の文化政策を理解する上では、これまで積み重ねられた文化庁における文化行政の取組の経緯を概観することが有意義であると考えられることから、第2部では、直近の10年に焦点を当てながら約50年間の文化行政に関わる制度・事業の概要やその変遷を大まかに振り返ることとする。

第 1 章　芸術文化の振興

第 1 節　芸術文化施策

　芸術文化の振興に係る国の役割は戦前と戦後で大きく異なる。明治期にあっては、展覧会の実施や娯楽指導がなされ、戦時期に入ると芸術文化統制が強化された。一方、戦後は、民主化の流れの中で芸術文化活動の自主性が認められるだけでなく、その奨励普及に取り組まれることとなる。

　文化庁発足 10 年を機にまとめられた書物 ^(注1) に、文化行政に関わる者の心構えとして「文化行政を進めるに当たっては、本来、文化の創造が究極的には国民の創意と活動にまつべきものであるので、文化行政の役割は文化の創造を促すための諸条件を整備することにあるとの基本的認識に立たなければならない」とある。この考え方は芸術文化行政に向けられたものではあるが、文化芸術の振興に当たっての基本理念を高らかに謳い上げた平成 13 年の**文化芸術振興基本法**の制定を待つまでもなく、当時から、文化行政に携わる行政官に芸術家や芸術団体など芸術文化を提供する側への支援の考え方が浸透していたことがわかる。この点、昭和 50 年代のいわゆる「行政の文化化」の動きの中で、住民福祉やまちづくりの観点から文化を捉え、生活文化も含めて文化芸術を享受し、参加する側への視点が付け加わる以前の初期の文化行政の心構えが端的に表れているものと言えよう。

そして、このような前提に立って行われる芸術文化行政の内容は大きく二つあり、後に策定されることとなる平成14年の第1次基本方針においても述べられているように、一つは我が国の芸術文化の頂点を高めることを目的として創作活動の奨励や新人芸術家の育成など芸術家に対する施策を進めることであり、もう一つは文化の裾野を広げることを目的として文化の普及に関する施策を進めることであるとされた。

　前者に関しては、芸術は、創造性、独創性が求められる分野であり、多彩で豊かな芸術を生み出す源泉は優れた芸術家や芸術団体の自由な発想に基づく創造活動にあるとする。後に制定される**文化芸術振興基本法**においても、文化芸術に関する施策の推進に当たっては、文化芸術を行うものの自主性や創造性が十分尊重されなければならないとするだけでなく、その地位の向上が図られ、その能力が十分発揮されるよう考慮されなければならいとされている（同法第2条第1項、第2項）。したがって、芸術文化の頂点を高めるためには、このことを念頭におきつつ、創造活動がより活性化するような基盤の整備を進めなければならない。具体的には、優れた芸術家の顕彰、若手芸術家の研修や芸術活動への支援の充実、あるいは発表の場の提供などの施策を継続的に、さらにはそれらの施策を複合的に講じることが重要となる。

　一方、後者に関しては、その後、昭和52年の「文化行政長期総合計画」においてそれまでの文化行政が中央中心であり地方文化の振興が不十分であったと指摘し、平成10年の文化振興マスタープランでは文化の東京一極集中でなく地方から中央への文化の伝播を意識しているように、文化の普及の考え方が単に中央の文化の地方への伝播とならないよう留意すべきことがたびたび述べられてきた。

第1項　芸術家等の顕彰

　高い成果を上げた芸術家に対し、国家や社会に果たした功績を顕彰す

ることは、芸術家個人の創作への励みになるだけでなく、芸術家全体の社会的地位の向上にも資するものである。文化庁では、優れた芸術活動を奨励するため、芸術家等を顕彰することを重要な芸術文化振興施策として位置付けている。

（1）叙勲・褒章等

　芸術文化に関わる芸術家等は、他の分野同様叙勲の栄に浴するだけでなく、昭和12年に制度化された文化勲章の対象となる。文化勲章は文化の発達に関し勲績卓絶な者に与えられ、芸術文化関係者に与えられる顕彰としては最高のものであり、現在は文化功労者の中から選ばれることになっている（文化勲章受章候補者推薦要綱）。文化功労者制度は、昭和26年に制定された**文化功労者年金法**に基づき、文化の向上発達に関し特に功績顕著な者に終身年金を与えるもので、芸術文化行政の対象の広がりに伴い、昭和63年及び平成2年に対象者の増員が図られた。これによりデザイン、衣装文化など、これまでの伝統的な文化とは異なる分野についても対象となった。最近では新・文化庁^{（注2）}が発足した平成30年度からさらに増員が図られ、アートマネジメントや食文化、文化振興など多様な分野から選考されるようになった。

　このほか、社会や公共の福祉、文化などに貢献した者を顕彰する褒章制度の対象となり、特に紫綬褒章は、その性格上多くの芸術文化関係者が対象となる。

　日本芸術院は文化庁に置かれる栄誉機関であり、会員になることが斯界では名誉なこととされ、会員には終身年金が支給される。対象となる芸術の分野は美術（日本画、洋画、彫塑、工芸、書、建築）、文芸（小説・戯曲、詩歌、評論・翻訳）、音楽・演劇・舞踊（能楽、歌舞伎、文楽、邦楽、洋楽、舞踊、演劇）となっており、芸術院独自の事業として恩賜賞並びに芸術院賞を授与している。

（2）芸術選奨等

　また、芸術選奨は芸術家を顕彰する施策の一つとして昭和 25 年に設けられた制度であり、現在、毎年度の優れた業績に対し、芸術選奨文部科学大臣賞、同新人賞が与えられている。

　さらに、昭和 21 年に始まった文化庁芸術祭は顕彰の場でもあり、優れた参加公演や作品に対し芸術祭大賞、同優秀賞、同新人賞などが授与される。

　その他芸術文化関係者に与えられる顕彰として、平成元年から始まった文化庁長官表彰、平成 9 年から始まった文化庁メディア芸術祭での文化庁メディア芸術祭大賞、同優秀賞などがある。

第 2 項　人材の育成と芸術創造活動の支援

　我が国の芸術文化の頂点を高めるためには、若手芸術家の育成、発表の場の提供、芸術創造活動の支援など芸術家に対する施策を進めることが重要である。

（1）　若手芸術家の育成

　新進芸術家を海外に派遣し、その専門とする分野について一定期間研修させる芸術家在外研修（現、新進芸術家海外研修制度）は、昭和 42 年に始まり現在まで継続している。平成 29 年には第一期生であった洋画家の奥谷博氏が文化勲章を受章するなど、我が国の芸術文化を担う人材を数多く輩出してきた。その他、海外の研修成果を国内で発表する事業として、例えば美術の分野で美術展覧会「DOMANI・明日展」を平成 10 年度から実施し、新国立劇場では平成 21 年度より海外で活躍する若手日本人バレエダンサーの発表の場として「バレエ・アステラス」を実施するなど、活躍の機会を確保している。芸術家の人材育成については、統轄芸術団体や芸術系大学が主たる役割を果たしているため、それ

らの団体等が行う事業に支援を行っている。

さらに平成14年に策定された「文化芸術創造プラン」においては文化芸術活動を支えるアートマネジメントを担う人材の必要性にも触れ、その育成にも取り組むこととなる。

（2）　芸術祭

芸術祭は、広く一般に優れた芸術作品を鑑賞する機会を提供するだけでなく、芸術家や芸術団体による意欲的な発表の場を提供するとともにその成果に対して顕彰も行われる複合的な文化芸術振興方策であり、芸術の創造と発展に大いに寄与している。

文化庁芸術祭は昭和21年国民生活に再建の希望を与える目的で始められ、国民生活の安定とともに芸術の育成・普及の目的に変化した。その後平成9年度には、メディアの進展を背景として芸術祭とは別に文化庁メディア芸術祭が実施される。

平成29年改正の**文化芸術基本法**においては、芸術祭について、芸術振興の一般的規定（第8条）にとどまらず、メディア芸術（第9条）、地域の文化芸術振興（第14条）、国際交流の推進（第15条）の規定にも明示されており、近年重要性が高まっている施策である。

（3）　芸術創造活動の支援

芸術文化の普及振興は芸術文化団体の自主的な活動に負うところが大きい。しかし、このような芸術文化の振興施策は、たとえ側面的に支援するためであっても、公的資金が投入される限りその支援を受けた芸術文化活動の成果に対し評価を伴うことは言うまでもない。

戦後抑制的であった芸術団体に対する支援については、昭和34年になってようやく優れた実績を持ちつつ経済的に恵まれない団体を対象に補助が開始され、昭和40年度から創作活動への助成も始まる[注3]。団

体に対する補助金と言っても単年度の公演単位の事業費補助であり、平成8年に「アーツプラン21」において芸術創造活動への支援が再構築されるまで続く。

　当時の芸術創造活動の助成は年度単位での執行であったが、継続した活動を行うための助成制度という観点からは、より安定的・継続的な財源で柔軟な助成が求められていた。一方で、国の厳しい財政事情の中で芸術文化の振興の予算は必ずしも十分ではない状況にあり、昭和52年の「文化行政長期総合計画」等においても芸術文化の振興のための基金の創設について提言されていた。そこで、平成2年には政府出資金500億円と民間からの112億円の寄附金の計612億円を原資に芸術文化振興基金が創設された。しかし、この基金からの助成事業は金利の影響を受けて縮小を余儀なくされたため、「アーツプラン21」による支援施策の再構築の過程で、新たに舞台芸術活動の水準向上のためとして舞台芸術振興事業（芸術文化振興基金に対する補助金）が創設された。現在、基金の運用主体である（独）日本芸術文化振興会においては、振興会に対する文化庁からの文化芸術振興費補助金を財源とする助成事業と、基金の運用による助成事業が実施されている。

　このアーツプラン21は、平成7年の文化政策推進会議報告を踏まえ、21世紀に向けた新しい文化立国にふさわしい創造的な芸術活動を活性化するため、従来からの支援施策を再構築したものである。とりわけ「芸術創造特別支援事業」はこれまでの単年度の赤字補填的な助成形態から脱し、年間の自主公演活動を総合的にかつ継続的（原則3年）に支援する点に特色があった。この事業の流れは、**文化芸術振興基本法**成立後の平成14年に策定された「文化芸術創造プラン」の下で伝統芸能及び大衆芸能の分野にも拡大され、名称も「芸術団体重点支援事業」に改められた。しかし、平成17年度からは、芸術団体の自主事業の総合的な団体支援から、公演ごとの支援に移行してしまう。このように、芸術文化

に対する支援の在り方については、公演毎・単年度の支援と総合的・継続的な支援の間で揺れ動くことになる。

　一方、第3次基本方針においては、PDCAシステムの中で「より経営努力のインセンティブが働くような助成方法」の導入や（独）日本芸術文化振興会における「諸外国のアーツカウンシルに相当する新たな仕組み」の導入が打ち出される。これを受け、（独）日本芸術文化振興会においては、平成23年度から新たに配置されたプログラムディレクター（PD）、プログラムオフィサー（PO）による助成事業の審査・評価、調査研究体制が敷かれ、平成28年度からはいわゆる「日本版アーツカウンシル」[注4] が本格導入された。

　映画の振興については、昭和47年度から優秀映画の製作奨励が行われたが、あくまで公開上映されたものに対する奨励金の付与であり、対象作品の決定は、必要に応じて一般観客の意見を聴くための公開試写会も開催されるなど慎重な選考過程を経るものであった。この制作奨励事業は、平成2年の芸術文化振興基金の創設とともに基金による助成事業に移される一方、文化庁の行う事業は顕彰に特化されることとなり、現在の文化庁映画賞に引き継がれている。

　映画はメディアの進展とともに分野によっては価値が再認識され、昭和51年度からテレビ向けアニメーション製作奨励も行われたが、映画そのものはメディアの普及や娯楽の多様化により衰退する。そこで、平成14年に始まった「文化芸術創造プラン」においては日本映画やアニメ・マンガ・ゲームなどのメディア芸術の振興を図る「『日本映画・映像』振興プランの推進」が掲げられ、平成15年には「映画振興に関する懇談会」の提言を受け支援の拡充が図られた。提言では、昭和45年に東京国立近代美術館の一部門として設けられたフィルムセンターの独立について述べられており、フィルムセンター強化に向けた民間からの出捐を契機に平成30年には（独）国立美術館の下に「国立映画アーカイブ」

が設立された。

第3項　芸術文化活動の普及

　我が国の国家形成の過程において、芸術文化活動は中央中心に発展する傾向があったことから、地方の芸術文化活動の振興を図ることが課題であり、文化庁発足前から地方での巡回事業や助成事業に取り組まれていた。文化庁発足後も地方振興に引き続き取り組み、昭和44年から文化振興会議を開催し、国と地方の文化の振興方策について関係者が一堂に会した意見交換を開始する。その後、意見交換にとどまらず実践的な研究協議の場を設け、地方文化の振興に関する機運醸成や行政体制の充実に資する取組を行ってきた。

　また、鑑賞機会の拡大を図る観点から、昭和46年度からは国民一般を対象とした移動芸術祭を実施し、昭和49年度からこども芸術劇場の巡回公演を行う。一方、昭和43年度からは都道府県主催の文化活動への補助を開始し、昭和52年度以降各県持ち回りで行われていた全国高等学校総合文化祭に昭和61年度から文化庁が主催者として加わり、同年から国民文化祭も始まる。

　公立の文化施設は地方における芸術文化振興の拠点となるものであり、文化庁では昭和42年度から施設整備に向けた補助金を交付する。その後、昭和50年代以降のいわゆる地方の時代を背景として、すべての都道府県に文化行政の担当課が置かれ、公立文化施設の建設も進む。昭和60年代以降になると、地方の体制や施設の整備状況にかんがみ、施設整備の補助から文化活動の支援へのシフト、すなわち、補助金中心の地方芸術文化の振興から指導助言を中心とする施策に重点を移し、昭和57年から行ってきた研修事業を一層充実することとなる。さらに、平成の時代に入ると、ソフト事業により重点が置かれ、平成6年には文化庁に地方の文化事業の企画・運営等のソフト面での支援を担当する地

域文化振興課が設置される一方、平成9年度をもって施設補助金は廃止されることとなる。

　平成8年度は「アーツプラン21」が打ち出された年であり、芸術文化施策の画期となるが、地域文化の振興に関しても、芸術文化の拠点づくりを目指し文化のまちづくり事業が始まるとともに、翌9年度からは国内外の芸術家を集め芸術家の創造力と地域の芸術文化の向上を目的にアーティスト・イン・レジデンス事業 ^(注5) が実施される。

　一方、地方で建設が進められてきた公立文化施設は、数は増加したものの、文化芸術の鑑賞活動の提供や創造活動が十分実施できていない状況にあった。この背景には、劇場や音楽堂等が整備されていたとしても、貸館中心の運用あるいは、指定管理者制度の導入により、経済性や効率性を重視するあまり事業内容の充実や専門人材の育成や配置が必ずしも重視されていない運用があった。また、劇団や楽団などの文化芸術団体が大都市圏に集中しており人員・器材の移動に経費がかさみ、相対的に地方で多彩な文化芸術に触れる機会が少ない状況があった。そこで平成23年の第3次基本方針では、劇場、音楽堂等の法的基盤の整備の検討を重点戦略に掲げ、文化庁における検討を経て、平成24年には議員立法により「**劇場、音楽堂等の活性化に関する法律**」が成立する。

　この法律においては、劇場、音楽堂等を単なる施設でなく、創意と知見をもって実演芸術の公演を企画し、又は行うこと等により、これを一般公衆に鑑賞させることを目的とするものと定義し（第2条）、その設置・運営をする者は、実演芸術の水準の向上等に積極的な役割を果たすように努めると規定する（第4条）など、劇場、音楽堂等の機能を活性化し、実演芸術の水準の向上と振興を図ることとした。すなわちこの法律は、施設の外形的基準を示すものでなく、劇場、音楽堂等において行われる事業の活性化を通じて実演芸術の振興を意図したいわば「実演芸術振興法」の性格を有するものである。文化庁ではこの法律の制定を受け、「劇

場、音楽堂等の事業の活性化に必要な事項に関する指針」（平成25年文部科学省告示）を作成するとともに、劇場・音楽堂等が行う創造活動や人材養成などを支援する劇場・音楽堂等活性化事業を実施することとなる。これらの取組は、実演芸術を行う団体に対する支援とは別の角度で、実演芸術を振興していく取組であり、芸術創造活動の支援がより多角化することとなった。

　文化芸術活動の裾野の拡大に関しては、平成13年の**文化芸術振興基本法**の制定を契機に平成14年度に策定された「文化芸術創造プラン」の4つの柱の一つとして、次代を担う子どもたちに文化芸術に触れる機会を通じて感動や楽しさを伝え、芸術を愛する国民を育む取組である「感性豊かな文化の担い手育成プラン」が据えられることとなる。このプランの考え方は現在においても文化芸術による子供の育成総合事業、伝統文化親子教室事業として引き継がれている。

　文化芸術基本法の前文にあるように、文化芸術は「人々の心のつながりや相互に理解し尊重し合う土壌を提供し、多様性を受け入れることができる心豊かな社会を形成するもの」である。さらに平成23年策定の第3次基本方針においては、「文化芸術は子ども・若者や、高齢者、障害者、失業者、在留外国人等にも社会参加の機会をひらく社会的基盤となり得るもの」と指摘する。文化庁では、このような文化芸術の持つ社会包摂の機能に着目して、障害者の文化芸術鑑賞や創造、発表の機会の拡充などに取り組んでおり、平成28年の「スポーツ・文化・ワールド・フォーラム」[注6]を契機として、共生社会等を考える「ここから展」を開催している。

第4項　文化力プロジェクト

　平成15年3月、当時の河合隼雄文化庁長官が日本の社会を元気にする取組として「関西元気文化圏構想」を提唱する。文化は地域や社会を

元気にする力があるが、政治経済だけでなく文化も東京に一極集中しがちな現状を改善しようとする考え方がこの構想の背景にあった。この考え方は、中央中心の文化行政に疑問を呈し、地方から地方、地方から中央への文化の伝播を唱えた昭和52年の文化行政長期総合計画、あるいは、文化の東京一極集中でなく地方から中央への文化の伝播を意識し、それぞれの地域において豊かな文化が育まれることは我が国全体の文化の振興につながると述べる平成10年の文化振興マスタープランの考え方の流れを汲むものであると言える。そして、この構想の一環として関西元気文化圏などの文化広報プロジェクトが開始された。

　なお、平成19年の第2次基本方針において、「文化力」について「文化芸術は人々に精神的な豊かさや感動を与えるとともに、人々のコミュニケーションを活発化し生きる勇気と喜びをもたらす普遍的な力を持つ」ものとした上で、「文化力で地域から日本を元気にする」ことが文化芸術振興の基本的視点の一つとして掲げられた。

　文化庁では、芸術文化の普及に関して、優れた芸術文化を地方において享受できるようにする取組に注力してきたが、その意味でこの構想は、地域から地域への伝播や地方から中央への伝播を促す努力が足りなかったことに対する疑問の投げかけであったと評価することも可能であろう。なおこの構想の考え方は、後述するように、京都側から提案された文化庁の京都移転の要望の理論的支柱となる。

第5項　文化プログラムの推進と日本博

　オリンピック憲章においては、オリンピズムはスポーツを文化、教育と融合させ生き方の創造を探求するものと謳われ、近年のオリンピックは「スポーツと文化の祭典」となってきている。その意味で、オリンピック・パラリンピック競技大会は、我が国の魅力ある文化芸術を世界に発信するとともに、地域の文化資源を掘り起こし、地方創生や観光振興に

つなげる好機であり、文化庁では平成26年に、オリンピック開催年に日本が世界の文化交流のハブになることを目標にそのロードマップを示す試みとして「文化芸術立国中期プラン」を策定した。さらに平成27年には、文化庁が進める文化プログラムの考え方について、既存の文化力プロジェクト事業を発展させるものとして整理し、①国のリーディングプロジェクト、②国・地方・民間がタイアップした取組、③民間・地方公共団体主体の取組の3つの枠組みを示し「文化プログラムの実施に向けた文化庁の基本構想」として発表した。

　東京オリンピック・パラリンピック競技大会を契機とした文化プログラムは国全体の取組であり、文化庁だけでなく、（公財）東京オリンピック・パラリンピック競技大会組織委員会が「東京2020文化オリンピアード」を、政府や地方自治体が「beyond2020プログラム」などの文化プログラムを推進した。

　文化庁では「日本博」(注7)を中核にして、様々な支援事業を通じた文化プログラムを展開しているが、中でも「日本博」は、関係省庁や地方公共団体、文化施設、民間団体等の関係者が協力し合い、縄文時代から現代まで続く日本の美意識の所産を「日本人と自然」という総合テーマの下に集約しようとする取組であり、年間を通じて様々な文化資源を体系的に創生・展開するものである。また、同時に、文化による国家ブランディング強化と観光インバウンドの拡大に資するため、国内外への戦略的プロモーションを推進する、いわば日本全体を博覧会場に見立ててインバウンドを呼び込む取組と言える。

　平成30年12月には、政府における「日本博」の推進体制として、日本博総合推進会議（議長：内閣総理大臣　議長代理：内閣官房長官）が設置され、（独）日本芸術文化振興会が事務局を担うものとされた(注8)。

　この「日本博」は、平成30年6月に**文部科学省設置法**が改正され、文化庁の所掌事務に「文化に関する関係行政機関の事務の調整に関すること」が加わったことと無関係ではない。文化庁は「日本博」を契機と

して、**文化芸術基本法**に基づく文化芸術振興基本計画策定における事務調整だけでなく、政府全体の取組が求められる文化芸術事業において、具体的な事務調整の役割を発揮できることとなった。

第2節　国語施策

　国語は、日本文化の基盤であると同時に日本に暮らす人々にとっても生活の基盤となる言語である。我が国の国語施策は、明治期の国語改良運動に端を発する国民的教養の普及のための国語の統一と学習の平易化の流れを汲む国語表記の改善に関する施策、及び近年の在留外国人の増加と定住化さらには社会参加の必要性の高まりによる外国人に対する日本語教育施策の2つが柱となっている。

第1項　国語表記の改善に関する施策の推進

　戦後の「当用漢字表」「現代かなづかい」の策定などの一連の施策により国語表記の平明化が図られたが、一方では表現を束縛するなどの批判があり、昭和41年には国語審議会に「国語施策の改善の具体策について」の諮問がなされることとなる。国語審議会は逐次答申し、答申を受けて政府は昭和48年に「当用漢字音訓表」及び「送り仮名の付け方」、昭和56年に「常用漢字表」、昭和61年には「現代仮名遣い」、平成3年には「外来語の表記」をそれぞれ内閣告示・内閣訓令によって実施した。

　さらに、その後の情報化・国際化の進展、人々の価値観の多様化や世代間の意識の差の拡大になどに対応し、平成5年には「新しい時代に応じた国語施策の在り方について」の諮問があり、平成12年に「現代社会における敬意表現」「表外漢字字体表」「国際社会に対応する日本語の在り方」を答申した。また、平成14年の「これからの時代に求められる国語力について」の諮問に対しては平成16年に答申が、平成17年の

「敬語に関する具体的な指針の作成」の諮問に対しては平成19年に「敬語の指針」が答申されている。これらの答申は内閣告示・訓令に関わるものではないが、それら答申内容の普及を図るため、各地で説明会が行われた。なお、「常用漢字表」については、平成17年の諮問「情報化時代に対応する漢字政策の在り方について」に対応した平成22年の国語審議会の答申に基づき29年ぶりに改訂され、同年内閣告示・内閣訓令により実施された。

　また、国語施策の充実に向けては、国語施策の改善に資するため、昭和25年から国語問題研究協議会を開催し、平成7年から毎年「国語に関する世論調査」が行われている。また、美しく豊かな言葉の普及に向け国語に関する意識を高めるため、昭和48年から「ことばシリーズ」（平成7年からは「新『ことば』シリーズ」として刊行。現在は国立国語研究所編集）を全国の学校等に配布している。

　平成21年には、ユネスコがアイヌ語など国内の8つの言語・方言が消滅の危機にあるとする調査結果を発表したことを受け、文化庁ではそれらの調査研究やその結果の周知の取組等を行っている。

第2項　日本語教育の推進

　戦後、国際交流の進展に伴い、日本文化や日本語を学ぶ外国人や留学生が増える中で、外国人に対する日本語教育の充実が求められた。文化庁発足前の昭和36年には、文部省調査局において日本語教育懇談会報告「日本語教育のあり方」がまとめられ、以降の施策の出発点となった。その後、開発協力の観点や国際交流の観点からの意見等も踏まえ、昭和48年に文化庁に設置された私的懇談会である日本語教育推進対策調査会において、日本語教育センターの設置の具体策や日本語教員の資質・能力に関する方策が示されることとなる。

　国内の日本語教育対象者は、昭和50年代半ばまでは留学生やビジネ

ス関係者等が中心であったが、それ以降インドシナ難民や中国からの帰国者などの支援に関連して地域で日本語ボランティア活動が広がる。このような国内外の日本語学習者の増大や学習目的の多様化等に対応し、コミュニケーション手段としての日本語の学習を振興するとともに、文化発信の基盤としての日本語教育の推進を図るため、文化庁は関係省庁とも連携して日本語教育施策の充実を図ることとなる。平成24年からは、日本語教育機関・団体、関係府省の取組について相互に情報共有するためとして「日本語教育推進会議」が開催された。さらに、平成19年には文化審議会国語分科会として初めて日本語教育小委員会を設置し、平成22年から日本語教育カリキュラム案や日本語能力評価等について取りまとめた。また、平成25年には日本語教育推進に向けた11の論点を整理し、これまで順次検討を進めている。

　平成30年には、少子高齢化による労働力不足を背景として、**出入国管理及び難民認定法**が改正され、新たな在留資格の創設等が行われた。この制度改正により外国人材のさらなる受け入れ拡大が見込まれることを踏まえ、日本語教育施策の一層の充実が求められることとなる。このような状況を背景に令和元年には議員立法で「**日本語教育の推進に関する法律**」が成立し、改めてこの法律に基づき、関係府省庁局長級による「日本語教育推進会議」が設置され、日本語教育の関係行政機関による総合的かつ効果的な推進が図られる体制が整えられた。また、この法律に基づき策定された「日本語教育の推進に関する施策を総合的かつ効果的に推進するための基本的方針（令和2年6月閣議決定）」を踏まえ、公認日本語教師（仮称）の検討も始まる。

第3節　国際文化交流

　平成13年に施行された**文化芸術振興基本法**においては、その基本理

念の中で「文化芸術の振興に当たっては、我が国の文化芸術が広く世界へ発信されるよう、文化芸術に係る国際的な交流及び貢献の推進が図られなければならない」（第2条第6号）とされた。

　文化庁の発足以前からも、ユネスコの政府間会議や国際会議への出席、国際交流を行う芸術文化団体への支援、芸術家の海外研修や海外派遣、海外展や海外公演の実施、文化財保護のための研究協力、文化の分野の学者・文化人の人物交流など様々な事業が行われてきた。しかし、国における国際文化交流の取組全体を見た場合、文化庁、文部省、外務省、国際交流基金、日本学術振興会、ジェトロ（日本貿易振興機構）などでそれぞれ取り組まれており、昭和50年代の政府における認識では、国全体の国際文化交流の推進に関しては国際交流基金が中心的な機関と捉えられていたものの、中心的な役割を果たす行政機関は存在しなかったと言える。

　しかし、前述した通り、国際文化交流の振興については、行政改革の議論の中で文化庁がより重要な役割を果たすとされたことを踏まえ、平成13年の省庁再編に伴い制定された**文部科学省設置法**においては、文化庁の任務として国際文化交流の振興が明記された。さらに、**文化芸術振興基本法**に基づき策定された平成23年の第3次基本方針においては、文化芸術をソフトパワーとして位置付けており、文化芸術の国際交流に重要な役割を期待している。

第1項　文化交流の推進

　文化に関する国際的な会議としては、平成15年からASEAN各国と日中韓のASEAN＋3やASEM（アジア欧州連合）文化大臣会合が、平成19年から日中韓文化大臣会合が始まったが、我が国はこれに積極的に参加し、関係各国との連携・協力の強化、相互交流の促進に努めている。さらに、平成29年にはG7の枠組みで初めての文化大臣会合が

開催された。

　また、このような会合の成果として新たな事業も始まっている。平成24年の日中韓文化大臣会合の合意に基づき平成26年から始まった「東アジア文化都市」事業は、日中韓3か国においてそれぞれ文化芸術による発展を目指す都市を選定し、そこでの文化芸術イベントを通じて東アジア域内での相互理解・連帯感の形成を促進するとともに、東アジアの多様な文化の国際発信力を強化するものである。

　平成15年から始まった文化交流使事業においては、芸術家や文化人等を文化交流使に指名し、世界の人々の日本文化への理解をより深める活動や、外国の文化人とのネットワークの形成・強化につながる活動を展開している。事前に在外公館からの希望も聴取した上で、マッチングを行っており、派遣先にある在外公館の便宜供与が受けられる仕組みとなっている。

　この他にも、アーティスト・イン・レジデンスへの支援や外国人招聘などにより、外国の芸術家や文化人、文化財専門家の交流に努めている。

第2項　文化財分野における国際協力

　文化遺産は人類共通の財産であり、その保護のためには国際的な交流や協力が重要である。我が国はこれまで長年にわたり、国内外の文化財に関し優れた調査研究に取り組み、保存修復のための高度な技術を開発するとともに修復の実績を積み重ねてきた。平成18年に制定された**海外の文化遺産の保護に係る国際的な協力の推進に関する法律**を踏まえ、文化遺産国際協力コンソーシアムの下で、文化庁、外務省、大学・研究機関、民間助成団体等が一体となって文化遺産の保護に向けた国際協力を行っている。

　この他にも、国際社会からの要請に応じて専門家派遣などの緊急対応や文化遺産の保護に関わる拠点機関との交流を実施しているほか、

二国間協力あるいは国際機関である文化財保存修復研究国際センター
（ICCROM）との連携協力を行っている。

第 4 節　アイヌ文化の振興

　アイヌ政策については、昭和 49 年以来、北海道による生活向上関連
施策が実施されており、昭和 59 年には「アイヌ古式舞踊」が重要無形
民俗文化財に指定された。平成 9 年にはアイヌ文化の振興並びにアイヌ
の伝統等に関する国民に対する知識の普及及び啓発の施策を推進するこ
とにより、アイヌの人々の民族としての誇りが尊重される社会の実現を
図り、我が国の多様な文化の発展に寄与することを目的として「**アイヌ
文化の振興並びにアイヌの伝統等に関する知識の普及及び啓発に関する
法律**」（アイヌ振興法）が制定された。文化庁としては、この法律に基
づいて指定された法人の行うアイヌに関する研究やアイヌ語やアイヌ文
化の振興の取組を支援してきた。

　平成 19 年に国連総会で「先住民族の権利に関する国際連合宣言」が
採択されると、令和元年には、この法律に代わって、アイヌを北海道に
おける先住民族として位置付けた「**アイヌの人々の誇りが尊重される社
会を実現するための施策の推進に関する法律**」が制定され、この法律の
規定に基づく業務を行う団体として（公財）アイヌ民族文化財団が指定
された。文化庁では、これまでと同様、同財団の行うアイヌに関する研
究の推進、アイヌ語の振興、アイヌ文化の伝承再生や文化交流、普及事業、
アイヌ文化活動の表彰や伝承者の育成事業等に対し支援を行っている。

　さらに、平成 21 年のアイヌ政策のあり方に関する有識者懇談会報告
の提言に基づき令和 2 年に北海道に整備された民族共生象徴空間「ウポ
ポイ」の中に国立アイヌ民族博物館が開館した。

第 2 章　文化財

　文化財は、国民の文化形成の過程において形成された遺産として、国民全体にとって公共的な価値を持つがゆえに保護されてきたものである。しかし、我が国の文化財保護の歴史を振り返ると、2度にわたる文化財が直面した危機がその背景にあることがわかる。一つは明治維新であり、もう一つは敗戦である。明治維新は政治だけでなく、思想、文化、風俗習慣にも及ぶ変革をもたらしたが、伝統的なものの破却をもって文明開化とする風潮や、明治元年の神仏分離令に始まる廃仏毀釈の動きは、今でこそ国宝の興福寺五重塔、姫路城、鎌倉大仏などの文化財に解体・破却の危機をもたらした。また、第二次世界大戦中における保存行政の簡素化あるいは戦後の悪性インフレ、農地改革、財閥解体など社会・経済の混乱や財政ひっ迫、さらには国民的自覚の喪失と伝統軽視の風潮は、明治維新と同様文化財の保存に深刻な影響を及ぼしたのである。

　明治初期の文化財を巡るこのような状況に対して、我が国最初の文化財保護の取組として、古器旧物保存方の太政官布告や、古社寺保存金交付及び宝物類の全国調査が行われた。また、日清戦争後に起こった民族的自覚が文化財及びそれを多く所有する社寺を荒廃のまま放置することへの反省を促し、それまで宮内省、内務省に分かれていた保護の取組をまとめ、**古社寺保存法**が制定される。この法律は社寺所有の物件に焦点を当てたものではあるが、有形文化財の保護の在り方としては今日の**文化財保護法**にも連なるものである。

その後、保存の対象を社寺以外の者の所有物件に及ぼした**国宝保存法**や国宝指定されていない物件の海外流出規制に向け**重要美術品等の保存に関する法律**が制定される一方、国土開発の流れの中で**史跡名勝天然記念物保存法**が制定された。

　戦後の荒廃に対しては、旧文部省及び昭和22年に宮内省から旧文部省に移管された国立博物館が新たな立法を模索するが成案に至らず、他方、法隆寺金堂焼損を背景に文化財保護の意識が高まる中で議員立法の動きが活発になる。そのような中、既存の文化財保護に関する3つの法律を継承するとともに、無形文化財や民俗資料、埋蔵文化財も保護対象として拡大し、昭和25年には、文化財保護のための総合立法である**文化財保護法**が制定される。

　この法律は、単に懐古的な伝統偏重や特殊専門的観点からの文化財の保存を目的とするのものではなく、文化財の保存、活用が将来にわたる我が国の国民の文化的向上、さらには世界文化の進歩への貢献に不可欠の基礎条件であるがゆえに文化財の保存、活用を行うものであるという基本的立場を目的として掲げている（第1条）。これは、平和主義、国際協調主義を国是とした現行憲法を意識しており、文化財保護行政を国主導で取り組む姿勢が鮮明に表れているのであるが、一方で、地方公共団体の協力無しには十分な文化財保護が図れないことから、地方公共団体は、その地方に関係の深い文化財の保護に要する経費を補助でき、条例を定めて国の指定文化財以外の文化財を指定し必要な措置を講じることができることとして、地方公共団体にも地方の目線での必要な文化財保護の取組を期待した。

　さらに、平成13年に制定された**文化芸術振興基本法**（現在の**文化芸術基本法**）の前文においては、文化財保護も含む文化芸術は「それぞれの国やそれぞれの時代における国民共通のよりどころとして重要な意味を持ち、国際化が進展する中にあって、自己認識の基点となり、文化的

な伝統を尊重する心を育てるものである」とし、文化財保護の国民的意義を確認している。

　文化財の範囲については、**文化財保護法**に定義があり、現在においては有形文化財、無形文化財、民俗文化財、記念物、文化的景観、伝統的建造物群が規定されている（第2条第1項）。**文化財保護法**は、前述した通りその基本的姿勢として選択的保護主義をとっており、この定義規定は、**文化財保護法**の規定により、指定等によって抽出され、保護されるもののグループを示しているにすぎず、土地に埋蔵されている場合等を除いて、この定義に該当するものがそのまま**文化財保護法**による規制等の対象となるものではない。なお、土地に埋蔵されている文化財については、その文化財の種別に関係なく、埋蔵文化財として独自の保護を受けることとなる。このほか、それ自体は文化財ではないが文化財の保存のために欠くことのできない専門的な技術等を対象とする保護制度や、指定制度を補完する登録制度がある。

　文化庁の文化財保護行政は、**文化財保護法**の制度改正はもちろんであるが、**文化財保護法**上の権限の行使や予算事業の遂行を中心に行われてきた。法律上の権限行使としては、文化財としての指定の制度として、①重要文化財、国宝、重要無形文化財、重要有形民俗文化財、重要無形民俗文化財、史跡名勝天然記念物、特別史跡名勝天然記念物の指定及びその解除、②重要伝統的建造物群保存地区、重要文化的景観、文化財の保存技術の選定及びその解除、重要無形文化財の保持者や保持団体、選定保存技術の保持者や保持団体の選定及びその解除、③登録文化財の登録及びその抹消、④重要無形文化財以外の無形文化財あるいは重要無形民俗文化財以外の無形民俗文化財で記録作成等の措置を講ずべきものとして特に必要なものの選択などがある。

　その他、例えば重要文化財の管理の制度として管理方法の指示、管理団体の指定、管理に関する措置命令・勧告など、保護の制度として修理

の費用の補助、現状変更の許可・損失補償、輸出の許可、先買権など、公開・活用の制度として出品勧告など、さらには保存のための調査の制度などがあるが、他の文化財の類型についても関連規定について準用され、あるいは文化財の特性に応じた管理等の制度が法律上整備されており、文化庁の文化財保護の権限行使は多岐にわたる。

（資料2-1）文化財保護の体系

※令和3年の文化財保護法の改正により、無形文化財及び無形の民俗文化財も文化財登録制度の対象となる。

（資料2-2）近年の文化財指定等の推移

年	有形文化財（美術工芸品）			有形文化財（建造物）			重要無形文化財（保持者）		民俗文化財			記念物			重要文化的景観	重要伝統的建造物群保存地区	選定保存技術	
	国宝	重要文化財	登録有形文化財	国宝	重要文化財	登録有形文化財	芸能	工芸技術	重要有形民俗文化財	重要無形民俗文化財	登録有形民俗文化財	特別史跡名勝天然記念物	史跡名勝天然記念物	登録記念物			保持者	保存団体
	件	件	件	件	件	件	件	件	件	件	件	件	件	件	件	件	件	件
2002	852	10,076		211	2,220	2,980	55(11)	59(13)	198	217		161	2,669			61	48	22
2003	853	10,120		211	2,238	3,595	58(11)	57(13)	200	219		161	2,700			61	52	23
2004	857	10,166		211	2,260	4,255	58(11)	57(14)	201	229		161	2,730			64	51	23
2005	858	10,209		212	2,277	4,805	57(11)	57(14)	202	237		161	2,768			69	52	22
2006	860	10,255	4	213	2,298	5,578	54(11)	57(14)	203	246	3	161	2,800	6	2	78	51	22
2007	861	10,283	4	213	2,328	6,616	55(11)	57(14)	205	252	6	161	2,828	24	4	80	51	24
2008	862	10,311	9	214	2,337	7,286	56(11)	59(14)	206	257	10	161	2,855	40	9	83	53	26
2009	864	10,350	10	214	2,351	7,747	58(12)	59(14)	207	264	12	161	2,879	46	15	85	53	29
2010	866	10,388	11	215	2,367	8,142	57(12)	59(14)	210	266	16	162	2,905	53	21	87	52	29

年	有形文化財（美術工芸品）			有形文化財（建造物）			重要無形文化財		民俗文化財			記念物			重要文化的景観	重要伝統的建造物群保存地区	選定保存技術	
	国宝	重要文化財	登録有形文化財	国宝	重要文化財	登録有形文化財	保持者	総合認定保持者の団体又は保持団体	重要有形民俗文化財	重要無形民俗文化財	登録有形民俗文化財	特別史跡名勝天然記念物	史跡名勝天然記念物	登録記念物			保持者	保存団体
2011	866	10,430	13	216	2,386	8,703	117	26	211	272	21	162	2,937	58	29	93	53	29
2012	868	10,476	14	217	2,391	8,992	115	26	212	278	25	162	2,964	63	34	98	53	29
2013	871	10,524	14	218	2,406	9,250	113	26	213	281	29	162	2,996	78	35	104	52	29
2014	872	10,573	14	220	2,419	9,786	116	27	214	286	33	162	3,019	88	44	108	55	31
2015	874	10,612	14	222	2,437	10,392	114	27	216	290	36	162	3,054	95	50	110	57	31
2016	878	10,654	14	223	2,456	10,881	115	27	217	296	42	162	3,083	97	50	112	55	34
2017	885	10,686	14	225	2,480	11,502	115	30	220	303	42	163	3,114	104	58	117	57	35
2018	885	10,686	14	225	2,480	11,502	115	30	220	303	42	163	3,114	104	58	117	57	35
2019	890	10,735	14	226	2,497	11,943	110	30	220	309	44	163	3,142	107	63	118	53	39
2020	890	10,735	16	227	2,509	12,443	116	30	221	312	44	163	3,165	112	65	120	53	39

注1　文化庁調べ。
注2　重要文化財の件数は国宝の件数を含む。
注3　重要無形文化財保持者の（）は、団体認定（総合認定）を示す。
注4　史跡名勝天然記念物の件数は、特別史跡名勝天然記念物の件数を含む。

出典　「文部科学統計要覧」より文化庁作成

　これらの権限行使によって生じる法律効果は様々であるが、文化財としての指定等の制度は、保護手段である各種の規制や援助の対象を特定することとなり、文化財の修理、防災設備等の整備に向けた助成、買い上げ等に必要な予算措置あるいは所有者に対する税制上の優遇措置を講じる前提となるものである。

第1節　文化財の保存と活用

　文化庁が担ってきた文化財保護行政の歴史は、**文化財保護法**に定める文化財類型に応じて取り組んできた文化財の保存と活用の歴史であり、専門分野を担当する文化財調査官等による調査や指定、選定等による保

護対象文化財の充実及びそれらの管理、保護、活用等に対する助成や指導・助言等の援助等の営みの積み重ねである。

第1項　有形文化財の保存と活用

　建造物あるいは絵画、工芸品、彫刻、書籍、典籍、古文書、考古資料、歴史資料などの美術工芸品については、重要文化財の指定を受けることにより様々な規制が生じる。すなわち、その所有者に対しては物件の管理義務が生じるとともに、管理の状況によっては、国から管理に関し措置命令や勧告がなされ、その場合に要する費用については国の負担がある。その他にも現状変更等の制限や輸出制限がかけられ、また、国に先買権が発生する。

　とりわけ、我が国の有形文化財は木や紙などの経年の劣化を伴う材料で構成されるものが多く、保存や修理、防災対策が必須となる。そのため国では保存や修理、防災に関する補助金などの援助や指導・助言を行うだけでなく、保存修理技術の継承や修理に必要な資材や原材料の確保の取組を併せて行っている。特に建造物の修理に必要な木材や檜皮、茅、漆などの資材の確保とこれらの確保に関わる技能者の育成を図るため、平成18年から「ふるさと文化財の森」の設定及び研修や普及啓発事業に取り組んでいる。

　有形文化財の活用については、重要文化財にあってはその公開は所有者あるいは管理団体が行うこととされており、国に公開の命令や勧告の権限を与える一方、第三者が公開する場合は事前に文化庁長官の許可が必要であるが、公開承認施設（法第53条第1項）で行われる限り許可を求めないものとされている。**文化財保護法**上はできるだけ公開するなど活用に努めること（第4条第2項）とされており、文化庁としても各種展覧会や海外展に取り組んでいる。

　文化財保護法では、国宝・重要文化財の所有者がこれらの文化財を他

人に譲渡しようとする場合の国への売渡し申出義務及び国の先買権を規定している（第46条）。買い上げた文化財は（独）国立文化財機構に寄託され保管・公開されているが、平成15年からは公開承認施設との共催で「新たな国民のたから展」を開催し、積極的に公開・活用している。

第2項　無形文化財の保護

　無形文化財の場合は、その価値の観点から重要なものを重要無形文化財として指定すると同時にその「わざ」を高度に体現する保持者の認定（高度に体現している者を認定する「各個認定」と高度に体現している者が構成している団体の構成員を認定する「総合認定」がある。）又は「わざ」を保持する者を主たる構成員とする団体を保持団体として認定する制度となっている。重要無形文化財の保護のためには、保持者に対する特別助成、保持団体や地方公共団体等が行う伝承者養成事業や公開事業等に対する助成を行うほか、（独）日本芸術文化振興会が国立劇場等において「わざ」の伝承に係る研修事業等を行っている。

　また、未指定のものでも我が国の芸能や工芸技術の変遷を知る上で貴重なものについて記録作成等の措置を講ずべき無形文化財として選択することにより、記録作成や保存・公開ができることとされている。

第3項　民俗文化財の保存と継承

　文化財保護法制定時点では、民俗資料が有形文化財の一種として規定され、昭和29年には有形の民俗資料について重要民俗資料の指定制度が始まり、無形の民俗資料の保護制度として「記録作成等の措置を講ずべき無形の民俗資料」の選択制度も新設される。これら民俗資料は昭和50年に名称が改められ民俗文化財となり、重要有形民俗文化財と重要無形民俗文化財の指定制度が整備された。このような民俗文化財は日本国内のそれぞれの地域で形成され継承されてきたものであり、目立たな

い日常の習慣や実用道具等であるため、開発や社会の変貌の中で人知れず衰亡する例も少なくない。そのため国において様々な緊急調査が行われ、昭和50年には民俗芸能が、平成16年には民俗技術（生活や生産に関する用具・用品などの製作技術など地域において伝承されてきた技術）が民俗文化財に加えられることとなる。

　民俗文化財の保護措置は指定によって行われる。有形の指定物件については修理に対する助成や収蔵施設の補助が行われるほか、有形文化財と同様の管理の義務が課せられるが、現状変更については許可制ではなく届出制になっている。一方、無形の指定物件については、国が自ら記録作成等を行い、地方公共団体等が保存に当たる場合に補助できることとされている。さらに無形文化財同様、未指定のものも国が選択し、記録作成や保存・公開することができる。

第4項　記念物及び埋蔵文化財の保存と活用

（1）　記念物

　史跡名勝天然記念物（以下、単に「記念物」という。）の保護制度は、平城宮址が地元民間有志の保存整備から始まった民間主導であったように、制度化の背景には民間の保存運動があった。**文化財保護法**制定後は全国的な規模で調査が行われ、指定が行われていった。とりわけ記念物は、動物の種を特定して対象とするものを除く大部分が、土地に密着し、あるいは土地そのものであることから、記念物特有の開発との調整、財産権の制限等の問題も生じる。そのため法律の執行に当たっての関係者の所有権その他の財産権尊重の訓示規定（第4条第3項）だけでなく、その指定や現状変更許可に当たって所有権やその他の財産権の尊重、さらには、国土開発その他の公益との調整に留意する旨の規定（第111条第1項、第125条第4項）があり、その手続き規定も整備されている。また、環境保護行政との調整の規定も整備されている（第109条第6項

等)。

　記念物の管理については、重要文化財と同様、所有者又は所有者が選任する管理責任者による管理及び復旧が定められているが、広域の土地に係ることの多い史跡等については、管理及び保護については指定と同時に管理団体として指定される地方公共団体の役割が重視されている。

　記念物の活用については、法律上、重要文化財に規定されているような公開に関する規定は無い。しかし、史跡等の公有化が進み、整備についても公費が投じられる中で公費投入の成果として記念物についても活用が求められることになる。城跡などを史跡公園としたり名勝や天然記念物を巡る遊歩道を整備したりするなど公開活用に向けた取組が進んでいる。

　記念物の中でも、とりわけ重要なものは国が直接保存管理に関わるケースがある。例えば、高松塚古墳は古墳全体が特別史跡であり、壁画は国宝であるが、平成13年にカビが大量発生して以降、平成17年には石室を取り出しての壁画の保存修理を決定し、平成19年から壁画の修理を始め令和2年に終了した。文化庁では、このような長期間にわたる修理期間中も含め、壁画をできる限り公開することを通じて、国民の貴重な財産の適切な保存管理状況の説明責任を果たすと同時に、文化財保存の大切さについての国民の理解を求める努力をしている。一方、特別史跡平城宮跡については、昭和27年に特別史跡に指定後、昭和38年から国家的事業として宮跡地の買い上げを進めている。平成10年には朱雀門等の復元整備を行うなど順次復元整備を進め、平成20年には**都市公園法**に基づく国営公園として整備が決定された。国営公園となって以降、具体的な整備活用や管理は文化庁と国土交通省が連携して行っている。

（2）　埋蔵文化財

　文化財の中でも、有形文化財や有形の民俗文化財、あるいは、記念物の中でも遺跡、庭園等が土地に埋蔵されて存在している場合には、文化財の種別に対応した保護制度とは別の保護制度が適用される。すなわち、埋蔵文化財は土地に埋蔵されているために正確な所在や価値が判然としないといった特性があり、他の文化財と異なり指定等による対象の特定を必要とせず埋蔵文化財の所在が周知されていることや遺跡が確認されたことだけで保護制度が発動される。一方、土地を保護対象とすることから土地所有者や開発事業者と対立する場面が少なくない。

　発掘調査等で出土した文化財についての公開については特段規定が無いが、出土するものは有形文化財であるから、有形文化財の制度が適用される。出土した文化財は、指定等に至らなくとも研究活動や学校での教材として利用する価値があり、埋蔵文化財の保護について広く国民の理解を得るため、地域の博物館や埋蔵文化財センター等での公開・活用が図られている。

　我が国には、**文化財保護法**によって保護の対象となる遺跡の存在が46万か所以上知られており、毎年約9,000件の発掘調査が行われている。文化庁では、国民が発掘調査の成果に触れ、埋蔵文化財の保護の重要性に対する理解を深めることを目的に、平成7年より近年発掘され注目された出土品を中心に「発掘された日本列島」展として全国で巡回展示している。

第5項　伝統的建造物群や文化的景観の保護や活用

　伝統的建造物群は、地域の住人が住み慣れた町並みを重要文化財のような単体でなく集合保存あるいは広域保存を図るものである。保護の範囲は、伝統的建造物群を中核とした一定の範囲を市町村の都市計画又は条例で保存地区として決定するが、伝統的建造物以外のものの修景整備

も期待される。また、国として財政的に援助することが必要な地区を、市町村の申出に基づき、重要伝統的建造物群保存地区として選定することができ、国から指導・助言や補助などの援助が受けられる。

　一方、文化的景観は、棚田や里山など地域の人々の生活と自然の関わりの中で形成された景観を保護するものである。都道府県又は市町村の申出に基づき、地方自治体がその保存のため必要な措置を講じているものの中から特に重要なものを重要文化的景観として国が選定することができ、管理に関する文化庁長官の勧告・命令、現状変更等の届出やそれに関する指導・助言等の制度の対象となる。

　これらの文化財類型は地域の人々の生活に密接に関わり、住民運動や地方公共団体の条例制定の動きが先行した制度である。とりわけ町並み保存は住民の生活する場を保存するものであり、その公開・活用については住民の理解が不可欠である。一方、歴史的な町並みは、近年の観光振興の流れの中で、地域の活性化にも大きく寄与する。伝統的建造物群の保護の考え方は外観保存の考えに立つことから、重要文化財建造物のような現状凍結の規制もかからず、保存地区にある建造物が各種便益施設として整備されることも多い。

第6項　文化財の保存技術の継承

　文化財を保存するための修理等の技術は、無形文化財の分野において、美術工芸品の修理等の技術で歴史上または芸術上価値の高い工芸技術とみなされるものが対象とされ、保護されてきた。しかし、文化財の修理に用いる材料を生産する者や伝統的な技術や技能を有する者の減少は文化財の保護に支障を来たすとして、昭和50年の**文化財保護法**改正に際し、歴史上、芸術上の価値にかかわらず文化財の保存に欠かせない技術そのものを保護すべく、国により選定保存技術の選定と保持者又は保存団体の認定、選定保存技術の記録作成等保存のための措置や後継者養成

のための援助等が制度化された。

　なお、**文化財保護法**上、文化財保存技術それ自体は文化財ではないという整理がなされているが、ユネスコ無形文化遺産における遺産の捉え方はこれより広く（資料2-4参照）、選定保存技術の中から日本の伝統建築に関連する技術が「伝統建築工匠の技：木造建造物を受け継ぐための伝統技術」としてまとめられ、令和2年にはユネスコ無形文化遺産として記載された（次節詳説）。

第7項　登録文化財の充実

　文化財登録制度は、近代を中心とした建築物や土木工作物などの様々な文化財について、その歴史的重要性が認識される一方、近年の開発の進展や生活様式の変化等により、これらの文化財が社会的評価を受けることなく急速な消滅の危機にさらされている状況にかんがみ、これらを後世に継承していくため、建造物を対象にして平成8年に設けられた制度である。保護措置の内容は届出制と指導・助言・勧告を基本とし、例えば登録文化財としての建造物の登録は、内部の改修には届出を要しないなど所有者等の創意による様々な活用を妨げないものであり、既にあった指定制度等に比べて緩やかなものとなっている。また、法律による支援制度はないものの、修繕費の一部が補助され、固定資産税等の減税などの措置が講じられている。なお、平成16年には、新たに美術工芸品、有形民俗文化財、記念物にも対象が拡大された。さらに、少子高齢化等による無形の文化財の担い手不足などを背景として、令和3年の**文化財保護法**改正により無形文化財や無形民俗文化財にも登録制度が創設された。

　近年、地域の活性化を図るため地域の誇りやアイデンティティの核となる地域の文化遺産を活用したまちづくりが進められる中で、その土地の歴史や風土を物語る地域由来の文化財をより多く継承するという観点

からも、登録文化財の裾野の拡大は喫緊の課題である。平成30年の**文化財保護法**改正においては、地域内の文化財の調査によって把握された未指定の文化財の主体的かつ速やかな保護の取組を促すため、地域計画が認定された市町村における登録文化財の提案制度を新たに設けた。

第2節　世界遺産等の登録推進

第1項　世界遺産

　世界遺産は、地球上に存在する様々な文化遺産、自然遺産を人類にとってかけがえのないものとして保護しようとする考え方の下に、昭和47（1972）年にユネスコにおいて採択された**世界遺産条約**に基づき創設された。この条約の背景には、エジプトのダム建設により滅失の危機にさらされたアブ・シンベル神殿などの文化遺産の保護活動や世界初の国立公園を設けたアメリカ主導による自然遺産保護の動きがあったが、従来相反すると考えられてきた文化と自然に密接な関係を認め、ともに保護する対象として一体化して概念化したところにこの条約の特色があると言われている。我が国は平成4年に条約を締結し、令和元年7月時点で19件の文化遺産が登録されている。

　世界遺産（文化遺産）となるには、各締約国からの推薦に基づき、ユネスコの諮問機関である国際記念物遺産会議（ICOMOS）の評価・勧告の後、世界遺産委員会の審議を経て世界遺産一覧表に記載される必要がある。特に文化庁では文化遺産の記載に向けた手続きに関わることとなるが、ユネスコに対する推薦を行うに当たっては、文化審議会世界遺産部会に諮問し専門的見地から審査を経ることとなる。記載後は、**文化財保護法**に基づく保護措置が遺産の保持において重要な役割を果たす。なお、平成25年度推薦案件以降は閣議了解を経てユネスコに推薦することとなった。

（資料2-3）世界遺産について

1．世界遺産条約（世界の文化遺産及び自然遺産の保護に関する条約）
（1）条約の目的
　　文化遺産及び自然遺産を人類全体のための世界の遺産として損傷，破壊等の脅威から保護し，保存することが重要であるとの観点から，国際的な協力及び援助の体制を確立すること。
（2）経　緯
　　昭和４７（1972）年　第17回ユネスコ総会において採択
　　昭和５０（1975）年　条約発効
　　平成　４（1992）年　我が国において条約締結のための国会承認及び条約発効
　　令和　元（2019）年　7月現在で締結国数193ヵ国

2．世界遺産一覧表への記載プロセス
　①　各締約国は，世界遺産一覧表への記載推薦の候補を記載した「暫定一覧表」を提出する。
　②　各締約国は，「暫定一覧表」の記載物件のうち，「世界遺産一覧表」に記載する準備が整ったものを世界遺産委員会へ推薦する。これに対し，世界遺産委員会が，「世界遺産一覧表」への記載の可否を決定する。

3．世界遺産の総数
　令和元年7月現在で　１,１２１件（文化遺産869件，自然遺産213件，複合遺産39件）

4．我が国の世界遺産一覧表記載物件（文化遺産19件，自然遺産4件）

	記載物件名	所在地	暫定一覧表記載年	世界遺産一覧表推薦年	世界遺産一覧表記載年	区分
1	法隆寺地域の仏教建造物	奈良県	平成4年	平成4年	平成5年12月	文化
2	姫路城	兵庫県	〃	〃	〃	文化
3	屋久島	鹿児島県	〃	〃	〃	自然
4	白神山地	青森県，秋田県	〃	〃	〃	自然
5	古都京都の文化財 （京都市，宇治市，大津市）	京都府，滋賀県	〃	平成5年	平成6年12月	文化
6	白川郷・五箇山の合掌造り集落	岐阜県，富山県	〃	平成6年	平成7年12月	文化
7	原爆ドーム	広島県	〃	平成7年	平成8年12月	文化
8	厳島神社	広島県	平成4年	〃	〃	文化
9	古都奈良の文化財	奈良県	〃	平成9年	平成10年12月	文化
10	日光の社寺	栃木県	〃	平成10年	平成11年12月	文化
11	琉球王国のグスク及び関連遺産群	沖縄県	〃	平成11年	平成12年12月	文化
12	紀伊山地の霊場と参詣道	三重県，奈良県，和歌山県	平成13年	平成15年1月	平成16年7月	文化
13	知床	北海道	平成16年	平成16年1月	平成17年7月	自然
14	石見銀山遺跡とその文化的景観	島根県	平成13年	平成18年1月	平成19年7月	文化
15	小笠原諸島	東京都	平成19年	平成22年7月	平成23年6月	自然
16	平泉-仏国土（浄土）を表す建築・庭園及び考古学的遺跡群-	岩手県	平成13年	平成18年12月 平成22年1月	平成23年6月	文化
17	富士山-信仰の対象と芸術の源泉	山梨県，静岡県	平成19年	平成24年1月	平成25年6月	文化
18	富岡製糸場と絹産業遺産群	群馬県	平成19年	平成26年1月	平成26年6月	文化
19	明治日本の産業革命遺産　製鉄・製鋼，造船，石炭産業	福岡県・佐賀県・長崎県・熊本県・鹿児島県・山口県・岩手県・静岡県	平成21年	平成26年1月	平成27年7月	文化
20	ル・コルビュジエの建築作品 - 近代建築運動への顕著な貢献	東京都（他　フランス，ドイツ，スイス，ベルギー，アルゼンチン，インド）	平成19年	平成27年1月	平成28年7月	文化
21	「神宿る島」宗像・沖ノ島と関連遺産群	福岡県	平成21年	平成28年1月	平成29年7月	文化
22	長崎と天草地方の潜伏キリシタン関連遺産	長崎県，熊本県	平成19年	平成29年2月	平成30年6月	文化
23	百舌鳥・古市古墳群 - 古代日本の墳墓群	大阪府	平成22年	平成30年1月	令和元年7月	文化

5．我が国の暫定一覧表記載物件（文化遺産6件，自然遺産1件）
　〔平成4年〕
　　①「古都鎌倉の寺院・神社ほか」（神奈川県）
　　②「彦根城」（滋賀県）
　〔平成19年〕
　　③「飛鳥・藤原の宮都とその関連資産群」（奈良県）
　〔平成21年〕
　　④「北海道・北東北を中心とした縄文遺跡群」（北海道・青森県・岩手県・秋田県）
　〔平成22年〕
　　⑤「金を中心とする佐渡鉱山の遺産群」（新潟県）
　　⑥「平泉-仏国土（浄土）を表す建築・庭園及び考古学的遺跡群-（拡張）」（岩手県）
　〔平成28年〕
　　⑦「奄美大島，徳之島，沖縄島北部及び西表島」（鹿児島県・沖縄県）【自然遺産】

なお、世界遺産一覧表への記載に向けて資産を推薦する場合、世界遺産暫定一覧表に記載された資産から順次推薦することとなる。平成18年の暫定一覧表への案件追加に当たっては地方公共団体から提案を受け付ける手法がとられた。しかし、地域の歴史や文化を理解する上で欠くことのできない文化資産であるとしても、世界遺産としての国際的な視点からの評価と必ずしも一致するものでないことは明らかであり、今後の暫定一覧表の見直しを行う際の手法についてはこの点に注意を要すると思われる。

　世界遺産への登録を推進することは、我が国の貴重な文化遺産の国際的価値が評価されるだけではない。近年、世界遺産委員会は遺産保護における地域コミュニティの役割をより重視しており、記載を目指す過程で地域における総合的な文化財保護の取組が格段に充実するという点でも大きな意義がある。

　一方、地域住民の誇りやアイデンティティの形成、地元への観光需要への期待等を背景として、世界遺産となることに地域の関心が集まっているが、世界遺産としての価値の証明（顕著な普遍的価値（OUV：Outsranding Universal Value）、真実性、完全性）が前提であることは言うまでもなく、学術的評価における国と地域との十分な連携が求められる。

第2項　ユネスコ無形文化遺産

　伝統的な祭礼や工芸技術などの無形の文化遺産についても、世界の各地域で滅失が進む中でその保護のための国際的な取組が必要とされ、平成15年に**無形文化遺産の保護に関する条約**が採択された。無形文化財の保護についても、早い時期からユネスコを中心に検討されてきたものの、ヨーロッパ諸国の関心などにより結果的に有形遺産の保存事業が優先されてきた背景がある。ユネスコでは人類の無形文化遺産の代表的な

一覧表を作成しており、締約国からの記載提案後、評価機関での審査を経て、政府間委員会において決定し、逐次記載を進めている。

　なお、既に我が国には数多くの重要無形民俗文化財があることから、最近は、効率的な記載を進めるべく、既に記載された案件と合わせた拡張提案や同種の案件をグルーピングした一括提案を行っており、令和2年12月時点で22件の記載がなされている。

　我が国は、**文化財保護法**において世界に先駆けて無形文化遺産の保護を図ってきたところであるが、平成25年には「和食：日本人の伝統的な食文化」のように必ずしも**文化財保護法**による保護の対象となっていないものも記載された。文化庁ではこれまで、生活文化の範疇に属する案件については記載提案の対象としてこなかったが、ユネスコ無形文化遺産の運用の中で無形文化遺産に関する定義の広がりも見受けられることから、これら生活文化にかかる案件についても検討対象としている。

第3節　文化財の総合的把握と日本遺産

　昭和50年代のいわゆる地方の時代と言われた頃には、地方定住化に向けた生活環境の整備を目指して、主に市町村などの基礎自治体を対象にハード整備だけでなく住民参加型の地域政策が多くみられるようになる。平成の時代に入ると、地方においては、少子高齢化や過疎化の進展を背景として地域の活性化を図るため、地域の文化遺産を活用したまちづくり事業に取り組むようになり、文化庁では関連の予算確保を通じ地域政策も視野に入れた事業に深く関わるようになる。

第1項　歴史文化基本構想

　歴史文化基本構想は、平成19年10月の「文化審議会文化財分科会企画調査会報告書」においてその作成が提言された、地域の文化財をその

（資料2-4）ユネスコ無形文化遺産について

ユネスコ無形文化遺産について

令和3年5月現在

条約の概要

2003年(平成15年) **無形文化遺産保護条約** 採択〔2004(H16)年 日本締結(世界で3番目), 2006(H18)年 発効〕

【目　的】■ 無形文化遺産の保護
　　　　　■ 無形文化遺産の重要性及び相互評価の重要性に関する意識の向上　等
【内　容】■「**人類の無形文化遺産の代表的な一覧表**」（**代表一覧表**）の作成
　　　　　■「緊急に保護する必要のある無形文化遺産の一覧表」の作成
　　　　　■ 無形文化遺産基金による国際援助　等

締約国数：180

我が国の無形文化遺産登録（代表一覧表記載）状況等

| 現在 **22件** |
| 世界全体では492件 |

■ 重要無形文化財　□ 選定保存技術
■ 重要無形民俗文化財　□ 文化審議会決定

年			
2008 (H20)	能楽	人形浄瑠璃文楽	歌舞伎
2009 (H21)	雅楽	小千谷縮・越後上布【新潟】	
	奥能登のあえのこと【石川】	早池峰神楽【岩手】	秋保の田植踊【宮城】
	チャッキラコ【神奈川】	大日堂舞楽【秋田】	題目立【奈良】　アイヌ古式舞踊【北海道】
2010 (H22)	組踊	結城紬【茨城・栃木】	
2011 (H23)	壬生の花田植【広島】　佐陀神能【島根】　【情報照会】本美濃紙、秩父祭の屋台行事と神楽、高山祭の屋台行事、男鹿のナマハゲ		
2012 (H24)	那智の田楽【和歌山】		
2013 (H25)	和食；日本人の伝統的な食文化		
2014 (H26)	和紙：日本の手漉和紙技術【石州半紙、本美濃紙、細川紙】　※2009年に無形文化遺産に登録された石州半紙【島根】に国指定重要無形文化財（保持団体認定）である本美濃紙【岐阜】、細川紙【埼玉】を追加して拡張登録。		
2016 (H28)	山・鉾・屋台行事　※2009年に無形文化遺産に登録された京都祇園祭の山鉾行事【京都】、日立風流物【茨城】に、国指定重要無形民俗文化財である秩父祭の屋台行事と神楽【埼玉】、高山祭の屋台行事【岐阜】など31件を追加し、計33件の行事として拡張登録。		
2018 (H30)	来訪神：仮面・仮装の神々　※2009年に無形文化遺産に登録された甑島のトシドン【鹿児島】に、重要無形民俗文化財である男鹿のナマハゲ【秋田】、能登のアマメハギ【石川】、宮古島のパーントゥ【沖縄】、遊佐の小正月行事（アマハゲ）【山形】、米川の水かぶり【宮城】、見島のカセドリ【佐賀】、吉浜のスネカ【岩手】、薩摩硫黄島のメンドン【鹿児島】、悪石島のボゼ【鹿児島】を追加して拡張登録。		
2020 (R2)	伝統建築工匠の技：木造建造物を受け継ぐための伝統技術　※2009年に提案したものの未審査となっていた国の選定保存技術「建造物修理・木工」「檜皮葺・柿葺」「建造物装飾」等を追加し、計17件の技術として登録。		
提案中	風流踊　※2009年に無形文化遺産に登録されたチャッキラコ【神奈川】に、国指定重要無形民俗文化財である綾子踊【香川】などを追加して拡張提案。		

登録までの流れ

■ **締約国からユネスコに申請**（毎年3月）
　　〔各年、50件の審査件数の制限〕
　　* 無形文化遺産の登録のない国の審査を優先
↓　* 我が国の案件は実質2年に1回の審査となっている
■ **評価機関による審査**
↓
■ **政府間委員会において決定**（翌年11月頃）
　① 記載 (inscribe)
　② 情報照会 (refer) ⇒ 追加情報の要求
　③ 不記載 (not to inscribe)

登録基準 ＜無形文化遺産保護条約運用指示書（抜粋）＞

■ 申請国は、申請書において、代表一覧表への記載申請案件が、次のすべての条件を満たしていることを証明するよう求められる。

1. 申請案件が条約第2条に定義された「**無形文化遺産**」を構成すること。
　（a）口承による伝統及び表現　（b）芸能　（c）社会的慣習、儀式及び祭礼行事
　（d）自然及び万物に関する知識及び慣習　（e）伝統工芸技術
2. 申請案件の記載が、無形文化遺産の認知、重要性に対する認識を確保し、対話を誘発し、よって世界的に文化の多様性を反映し且つ人類の創造性を証明するものであること。
3. 申請案件を保護し促進することができる**保護措置**が図られること。
4. 申請案件が、関係する社会、集団および場合により個人の可能な限り**幅広い参加**および彼らの自由な、事前の説明を受けた上での**同意**を伴って提案されたものであること。
5. 条約第11条および第12条に則り、申請案件が提案締約国の領域内にある無形文化遺産の目録に含まれていること。

周辺環境も含め総合的に保存・活用していくための基本構想である。すなわち、**文化財保護法**の文化財類型にかかわらず、未指定も含めて文化財を広く捉えてその周辺環境も含めて総合的に把握し保存活用を目指すものであり、地方公共団体の文化財保護行政を推進するためのいわばマスタープランである。また、同時に、文化財を活かした地域づくりに活用することも期待されている。

　文化財の総合的な把握と保護の考え方については、これ以前からも指摘されており、例えば平成6年の文化財保護審議会文化財保護企画特別委員会報告（「時代の変化に対応した文化財保護施策の改善の充実について」）においては、文化財の保護が、従来から、美術工芸品、建造物、史跡、伝統芸能というような個々の種類・対象に着目して指定が行われてきたことを踏まえ、「文化財は、それが置かれた環境の中で、人々の営為とかかわりながら伝統的な意義と価値を形成してきたという側面を持っており、関連する文化財やその環境を保護する必要性が広く認識されつつある」と指摘している。また、平成13年の文化審議会文化財分科会企画調査会報告においても「総体としてとらえることで、新たな価値付けが可能となる観点から、その総体を一括して把握し保護の対象とすることを検討する必要がある」と述べている。

　一方、平成6年の報告書では、既にまちづくりとの連携を強く意識し、文化財の総合的把握と保護の文脈の中で「都市計画、自然保護、地域づくり等の観点から……これらの行政施策との連携を密にし、文化財保護の観点から主体的な働きかけを強めていく必要がある」と指摘している。平成20年に制定された**地域における歴史的風致の維持等及び向上に関する法律**（歴史まちづくり法）との関係においては、法に定める歴史的風致を構成する地域固有の歴史及び伝統を反映した人々の活動や、その活動が行われる歴史上価値の高い建造物等は、文化財であることが多いことから、歴史文化基本構想はこのようなまちづくりを進める上での基

盤となるものである。

そして、後述するように、平成30年の**文化財保護法**改正において、歴史文化基本構想に法的根拠を持たせ、「文化財保存活用地域計画」として位置付けられることとなる。

なお、このような、地域にある文化財を文化財類型にとらわれず広く面として把握し、まちづくりに結びつける考え方は、次に述べる日本遺産事業にも通じるものである。

第2項　日本遺産

文化財の活用については、これまで個々の文化財の保存・活用の文脈で考えられがちであり、活用については公開がその代表的な手段であった。人々がそれら文化財を鑑賞する際、博物館等で系統だったテーマに沿って美術品を鑑賞する場合はともかく、建造物や記念物や民俗文化財等は各地に点在しているため、鑑賞する立場からは各人の興味関心に従って鑑賞するのが一般的であった。しかしながら、昨今の観光立国の流れの中で、地域文化の深い理解にいざなう文化観光に地域の関心が集まってきている。そこで地域側からの文化財を核とした事業推進の期待に応えるべく、観光推進の視点を重視した新たな文化財活用の事業が文化庁で検討された。

日本遺産は、地域の歴史的魅力や特色を通じて我が国の文化・伝統を語るストーリーを認定する形で平成27年度から始まった事業であり、認定地域に対しては、①情報発信・人材育成、②普及啓発、③公開活用のための整備等に対して必要な財政支援が行われる。この事業は、個々の文化財の保存・活用ではなく、より地域の魅力が伝わるよう、ストーリーに組み込まれた文化財を面的に整備・活用・発信していくところに特徴がある。これにより、地域のブランド化・アイデンティティの再確認につながることが期待される。

事業開始当初よりオリンピック・パラリンピック競技大会が開催される 2020 年（令和 2 年）までに全国各地に 100 程度の認定を目指すとしていたが、日本遺産は観光戦略の観点からも重視され、平成 28 年 3 月に策定された「明日の日本を支える観光ビジョン」においても、日本遺産をはじめ文化財を中核とする観光拠点を全国 200 拠点程度整備する旨言及されている。この 200 拠点の内訳は、日本遺産が 100 程度と文化庁が予算事業として取り組んでいる歴史文化基本構想が 100 程度である。

　日本遺産は令和 2 年度までに 104 のストーリーが認定された。日本遺産として認定されたストーリーの魅力を維持するためには、認定以降も新たなコンテンツ作りや情報発信の工夫等の継続的な取組が求められる。そのためには地方公共団体の取組だけでなく地域コミュニティや民間団体の自立的かつ継続的な活動が不可欠である。

　なお、この事業には一定のブランド効果があり、日本遺産を目指す過程で地域における文化財を中心としたまちづくりが促される一方、認定後の継続的な取組に課題が見られるところもあり、事業のさらなる改善が求められている。

第 4 節　文化財防災と災害復旧

第 1 項　文化財防災

　文化財とりわけ文化財建造物の大部分は木造建築であり、防火対策は修理とともに保護対策の柱である。**文化財保護法**制定以来、保護対象となる建造物の防火性能の向上の観点から、自動火災報知設備、屋外消火栓設備、放水銃等の消火設備が整備されてきた。しかし、住宅の密集による延焼危険度が高まる一方、防災の担い手である所有者等の高齢化が進み地域防災を支える地域のコミュニティも希薄化している。また、耐震性の向上も課題である。

特に、地震や津波などの大規模災害に至っては、文化財建造物に限らず、家屋や収蔵施設内にある美術品、無形文化財に係る用具、城跡や古墳などの記念物等の文化財に広範囲かつ深刻な被害をもたらす。その意味では、地域の文化財を守り次世代に継承していくための地域ぐるみの防災対策が求められる。

　最近では、平成31年の世界遺産ノートルダム大聖堂の火災や令和元年の首里城正殿の焼損事案が、国民に改めて文化財防災の重要性を認識させた。文化庁においても指定文化財の防火設備等の現状を緊急に調査した結果、消火設備の老朽化や担い手の高齢化など防災機能低下が明らかになったため、世界遺産・国宝等における防火対策5か年計画を策定し計画的に防火対策を進めることとした。また、消防庁及び国土交通省と連携して、指定文化財である建造物や、指定文化財の美術工芸品を保管する博物館等の防火対策ガイドラインを改訂した。

第2項　災害復旧

　一旦災害に見舞われた場合の緊急対応も重要である。平成7年の阪神・淡路大震災においては多数の重要文化財が被害に遭ったことから、近隣の自治体から文化財建造物の専門職員の派遣が行われ、文化財美術品について文化財レスキュー隊の設置などが進められるとともに、迅速な復興に向け発掘調査を円滑に進めるため、調査の弾力化や埋蔵文化財専門職員の派遣が行われた。

　津波を伴う未曽有の大災害であった平成23年の東日本大震災においても、文化財建造物について、被災状況の調査、応急措置、復旧に向けた技術的支援等を行う「文化財ドクター派遣事業」や、美術工芸品等を緊急に保全するため、救出、応急措置、博物館等における一時保管を行う「文化財レスキュー事業」が展開された。その後も、被災した博物館・美術館・図書館等の再建を支援するとして、復興期間における修理作業

の加速化を図るための支援が続けられている。また、埋蔵文化財についても、復旧・復興と埋蔵文化財の保護との両立を図るため、発掘調査の範囲を限定するなど弾力的な取扱いを行うとともに、迅速な埋蔵文化財発掘調査を行うため、全国の都道府県等教育委員会に専門職員の派遣要請を行い、復旧・復興に向けて引き続き支援が行われている。

このように積み重ねられた災害復旧の実績は、既に平成28年の熊本地震においても同様の対応がなされたように、将来の大規模災害の発生に備えて引き継がれていくべきものである。

第5節　文化財の活用に向けた環境整備

平成29年12月の文化審議会答申「文化財の確実な継承に向けたこれからの時代にふさわしい保存と活用の在り方について(第一次答申)」は、後に詳述する平成30年の**文化財保護法**改正の大枠を示すだけでなく、美術工芸品の適切な公開の在り方、文化財の公開・活用に係るセンター的機能の整備(第4部注5参照)、復元建物の在り方についての調査検討の必要性についても言及している。

第1項　美術工芸品の公開の在り方

重要文化財等の適切な公開については、平成8年に取扱要綱が策定されていた。しかし、近年の展示設備等の技術的な進歩や公開ニーズの多様化等を受けて、平成30年には、美術工芸品について、所有者及び管理団体以外の者が移動を伴う公開を行う場合の取扱いや留意事項を見直すとともに、材質や保存状態等を踏まえ、棄損の可能性の低い文化財は公開期間の延長を認めるなど、より柔軟できめ細かな取扱いを行うこととした。

第2項　文化財活用センター

平成30年7月には、文化財の保存と活用の両立に留意しながら、民間企業等とも連携しVR（仮想現実、バーチャルリアリティ）などの先端技術を用いたコンテンツ開発、収蔵品の貸与促進などの事業を推進する文化財活用センターが（独）国立文化財機構に設置され、国内外の博物館、美術館等に関する支援を強化し、多くの人々に対し日本の貴重な文化財に触れる機会の提供に取り組んでいる。

第3項　復元建物の在り方

歴史的建造物の復元の在り方については、調査結果や資料に基づき往時の姿を忠実に再現する「復元」だけでなく、それ以外の再現手法も史跡等の本質的価値の理解や魅力の向上につながるなどの意義を有するものである。近年、RC（鉄筋コンクリート）造等による天守の耐震や老朽化対策の必要性が増すとともに地域振興の核としての天守の復元などの取組が活発化しているが、これまでは、復元基準において定義されている、外観を復元しつつ内部の意匠・構造を変更して建築物等を遺跡の直上に再現する「復元的整備」の許容範囲が明確でなかった。そこで、令和2年に新たに基準を策定し、往時の意匠・形態が不明確な場合や構造等について一部変更する場合についても基準で定められた手順や留意事項を踏まえることで「復元的整備」として取扱い、史跡等の価値の理解を促進していくことを可能にした。

第6節　文化資源の磨き上げ

文化財の活用については、後述するように国の経済政策において観光立国の方向性が大きく打ち出され、その中で、文化財の観光資源としての活用が一層求められるようになった。文化庁ではこれを受け、平成

28 年に文化財活用・理解促進戦略プログラム 2020 を策定し、博物館の夜間開館、文化財の多言語解説や美装化^(注9)などに取り組んできた。

平成 31 年 1 月から国際観光旅客税が創設されると、その財源を使って政府全体として観光先進国実現に向けた観光基盤の拡充・強化が推進されるようになる。地域固有の文化資源である文化財についても、国内外問わずその歴史的価値や魅力を発信するため、当該財源を活用し、文化財に新たな価値を付与して魅力を向上させるいわゆる磨き上げの取組を行っている。

令和 2 年度の取組としては、国家ブランディングの強化や観光インバウンドの持続的拡大に向け、①「日本博」を契機とする観光コンテンツの拡充や国内外への戦略的プロモーションの推進、②往時の生活文化もあわせて再現するイベントや体験活動の実施など文化財をより魅力的に活用していくための取組「Living History（生きた歴史体感プログラム）」、③空港等における高精細映像等の先端技術を活用した日本文化の効果的な発信、④文化財についての分かりやすいコンテンツ作成やスマートフォン対応可能な媒体整備など先進的な多言語解説の 4 つがその柱となっている。これらの取組は、従来の日本遺産など地域文化資源の活用の取組との相乗効果も期待される。

第 3 章　著作権

　芸術文化を創造する著作者の権利を保護する著作権制度は、芸術家等の創造活動を支える基盤である。人間の知的創作活動の所産である著作物は、国境を越えて世界中で利用されるものであるため、著作権制度は著作者の権利を各国において相互に保護していくことが重要であり、国際著作権制度の柱の一つである**ベルヌ条約**が、加盟国の著作権制度の指標となっている。昭和45年に全面改正された我が国の**著作権法**は、著作権に関するその他の代表的な多国間条約を締結する過程でそれらの保護の水準に合致する内容を持つことになり、世界的に見ても最も優れた制度の一つであるといわれた。

　著作権に関する行政は、これら制度の整備及び運用をその内容とする。制度の整備については、著作物の利用に係る技術の進展や新たな業態の出現に伴う権利者保護の在り方の見直しや、技術革新によって生み出された新たな知的創作物の保護制度の創設、条約や国際協定の締結等に伴う法整備などがある。権利者保護の在り方の見直しについては、これら社会情勢の変化に伴う新たな権利侵害からの権利者の保護だけでなく、教育の情報化や情報産業の発展の観点から権利制限を求められることも多く、権利者保護と著作物利用の円滑化とのバランスが重要となる。

　一方、制度の運用については、制度の解釈（民法のいわば特別法的存在である**著作権法**の性格上、最終的な解釈は裁判所で判断される。）や運用、**著作権法**で定められた事務（補償金の額の決定、権利者不明の著

作物利用の裁定、著作権等の登録^(注10)等）の執行、著作権管理団体を通じて著作物の円滑な利用の促進を図ることのほか、情報伝達技術の進展の中で著作物の正しい利用を促すため、国内外を問わず著作権を尊重する意識の醸成を図る取組も重要である。

第1節　社会情勢の変化に伴う著作権制度の改正経緯

　文化庁における著作権行政の歴史は、著作権制度の整備とその運用の歴史とも言える。各国は国際条約を締結して相互に著作権を保護していることから、著作権を巡る国際情勢に目を向けることが重要であるが、著作権行政は、そのような国際的視点とともに、常に著作物の創造と利活用の両面ついて、社会の実態に目を向けることが必要な行政分野である。

　これまで行われてきた制度改正は、国際条約や国際協定（**許諾を得ないレコードの複製からのレコード製作者の保護に関する条約（レコード保護条約）**や**実演家、レコード製作者及び放送機関の保護に関する国際条約（実演家等保護条約）、著作権に関する世界知的所有権機関条約（WIPO 著作権条約（WCT）**、**実演及びレコードに関する世界知的所有権機関条約（WIPO 実演・レコード条約（WPPT））、視聴覚的実演に関する北京条約、盲人、視覚障害者その他の印刷物の判読に障害のある者が発行された著作物を利用する機会を促進するためのマラケシュ条約**、あるいは、世界貿易機関（WTO）協定及びその付属書の一つである**知的所有権の貿易関連の側面に関する協定（TRIPS 協定）、環太平洋パートナーシップ（TPP）協定**など）の締結に伴う制度改正だけでなく、社会情勢の変化や、それに伴う国際協調の必要性に対応する制度改正も幾度となく行われてきた。その主なものとして次のようなものがある。

第1項　貸しレコード問題等への対応

　昭和55年6月に日本で最初の貸しレコード店が開店すると、貸しレコード業が瞬く間に全国に広がった。また、同時期に音楽のダビング業者も現れ、権利者と貸しレコード業者等の間で対立が生じた。そこで、昭和58年には議員立法で「**商業用レコードの公衆への貸与に関する著作者等の権利に関する暫定措置法**」が公布されるとともに、昭和59年には**著作権法**を改正し、当該暫定措置法を吸収し、映画を除くすべての著作物について、その著作者に対し、公衆に対する貸与に関し許諾又は禁止し得る権利（貸与権）を与えるとともに、国内の実演家及びレコード業者に発売後1年間の貸与権とその後の報酬請求権を与えた。また、公衆の使用に供されている自動複製機器を使って複製する場合は権利者からの許諾を必要とし、営利目的で当該機器を公衆に提供し使用させる者に罰則を設けた。平成3年には著作隣接権の国際的保護の充実を図る観点から、**実演家等保護条約**により保護される外国のレコードに係る商業用レコードの貸与に関し、外国の実演家及びレコード業者に対しても同様の権利を認めることとした。

　なお、昭和59年の貸与権創設の折には、書籍・雑誌の貸与業を営んでいたのは小規模な貸本屋のみであったため、著作者に対し貸与権を創設して以降も貸本業者保護のための暫定措置として、当分の間、自由に書籍・雑誌の貸与を行えることとされていた。しかし、その後の書籍・雑誌の大規模かつ全国的なレンタル業の出現により著作者への不利益が顕在化したため、平成16年にこの暫定措置は廃止された。

　また、平成16年改正では、商業用レコードに関し、物価の安いアジア地域等からの還流を防止するため、一定の条件を満たす場合は著作権侵害行為とみなすこととした。

第2項　ニューメディアへの対応

　CATV（ケーブルテレビ）や文字放送等、当時ニューメディアと言われていた新たな情報伝達手段に対応して、昭和61年の改正で新たに「有線送信」の概念を規定し、有線放送事業者を著作隣接権制度により保護する一方、商業用レコードの使用に対し二次使用料の支払い義務を課した。

　また、平成23年の地上デジタル放送への全面移行に向け、難視聴地域の補完路としての役割を期待されたIPマルチキャスト放送による放送の同時再送信については、有線放送ではなくインターネットにおける自動公衆送信に当たるため、その円滑な利用に向け、平成18年に有線放送と同様の権利関係となるよう法整備を行った。

第3項　コンピュータプログラムの保護

　コンピュータプログラムはそれ自体独立した高い価値を有することから、昭和60年に新たな著作物として**著作権法**に位置付けた。なお、当時は、短期間の保護で足りるとして著作権制度によらない保護制度をとるべきとする意見もあったが、プログラムの高い国際流通性ゆえに諸外国の法制とも整合性を保つ必要があり、アメリカ等先進諸国が**著作権法**上著作物として扱っていたことから、**著作権法**で保護することとし、海賊版のプログラムと知りつつ業務上使用する行為は著作権侵害とみなされた。また、登録に関する特例を定める「**プログラムの著作物に係る登録の特例に関する法律**」が昭和61年に制定された。なお、他の著作物とは異なり、プログラムの著作物の登録事務は文化庁でなく（一財）ソフトウェア情報センターが行っている。

第4項　データベースの保護

　多様な情報が大量に供給される情報社会において、データベースはそ

の円滑な利用を図る上で大きな意義を持つ。そこで、昭和61年の改正では、データベースを**著作権法**上に位置付けるとともに、電気通信技術の発達を背景にしたオンライン・データベース・サービス等にも対応できるよう、新たに有線送信権の規定を整備した。

第5項　海賊版ビデオの取締り

　録画機器の普及に伴い、権利者に無断で複製された海賊版ビデオが大量に出回り、権利者の利益を害するに至ったことから、昭和63年の改正で、海賊版を頒布目的で所持する行為を著作権侵害行為とみなし、罰則の適用を可能とした。さらに、平成18年改正では海賊版の輸出や輸出目的での所持について著作権侵害とみなした。

第6項　私的録音・録画問題への対応

　著作権法第30条では、著作物を個人的に家庭内等の限られた範囲内において使用する目的であれば、権利者の許諾なく無償で複製することができるとされていたが、録音・録画機器の普及に伴い、社会全体で大量の録音・録画物が作成・保存されるようになると、著作権者の得るべき利益を害しているのではないかとの声が高まった。国際的には、このような私的録音・録画に対して補償制度を講じる国が増えていたことから、平成4年に**著作権法**を改正し、デジタル方式の録音・録画機器及び記録媒体を用いて行う私的録音・録画に関し、権利者に対し補償金を受ける権利を認めた。ここでデジタル方式に限っているのは、デジタル方式はアナログ方式に比べ劣化が無く、権利者に与える不利益が大きい等の理由によるものである。

　この補償金は、政令で定める機器または記録媒体の製造業者等の協力により、販売価格に上乗せして支払われることとされたが、新たな録音・録画機器の開発により政令で定める特定機器が陳腐化して利用が激減す

る一方、新たに登場した機器を特定機器とすることについて争いがあり、補償金が確保されないという課題が生じている。

　一方、映画の盗撮によって作成された海賊版 DVD が多数流通したことに対応して、平成 19 年に議員立法により「**映画の盗撮の防止に関する法律**」が定められ、権利者の許諾のない映画の撮影については、**著作権法**で認められる私的複製の適用外とし、著作権侵害として罰則を課し取り締まりを可能にした。

第 7 項　インターネットの普及への対応

　インターネットの出現により、サーバーにあらかじめ情報を入力（アップロード＝送信可能化）し、世界中の個々の端末からのアクセスに応じて自動的に送信される形態（自動公衆送信）が普及すると、著作物が一度アップロードされるとインターネットを通じて瞬く間に世界中に大量に送信される可能性が生じてきた。

　このような状況の下で権利者を十分に保護すべく、平成 9 年に**著作権法**を改正し、情報をアップロードする行為に対して新たな著作者等の権利（送信可能化権）を働かせることとし、著作者の公衆送信権の中に送信可能化権を含ませるとともに、レコード製作者及び実演家にも送信可能化権を新たに付与した。これは、平成 8 年採択の **WIPO 著作権条約**、**WIPO 実演・レコード条約**の義務を先駆けて果たすものでもあった。さらに、平成 14 年改正では放送事業者や有線放送事業者にも付与した。

　一方、インターネットの普及により電子書籍が増加してきたことから、平成 26 年改正において、紙媒体による出版のみを対象とした出版権制度を見直し、インターネット送信による電子出版等に対して著作権者が出版権を設定することができることとした。

　また、ブロードバンドの普及により、CD 等の商業用レコードを用いず、インターネット等から直接配信される音源（配信音源）を利用した

放送等が拡大してきた。そこで、放送事業者や有線放送事業者が CD 等の商業用レコードを用いて放送または有線放送を行う場合に実演家やレコード製作者に認められている放送事業者等に対する二次使用料請求権について、配信音源を用いる場合にも拡大した（平成 30 年に施行に至った TPP 協定の締結に伴う法改正^(注11) により措置された。）。

第8項　技術的保護手段の回避規制

コピー制限を回避する装置が社会に広く出回り、著作権者の利益を不当に害する事態が生じたことに対して、平成 11 年改正において、そのような装置等の譲渡等に対し罰則を課し、コピー制限を回避して行う複製については、私的使用目的であっても権利制限の対象外とした。また、著作物等に付されている権利管理情報の除去や改変の行為は著作権を侵害する行為とみなすこととするなど、平成 8 年採択の WIPO 著作権条約等に対応するための改正が行われた。また、TPP 協定の締結に伴う法改正においては、BS 放送やゲーム機などへのアクセス制限を回避する行為を原則著作権等の侵害行為とみなし、回避装置等の譲渡等について罰則を課した。

第9項　教育の情報化への対応

教育機関における対面授業での教材等の複製については、無許諾で利用できるよう権利制限が行われていたが、その後の情報化の進展や学習形態の変化に対応するため、平成 15 年改正において、同時中継による遠隔合同授業のための教材等の公衆送信を著作権者等の許諾なく行えることとした。さらに、平成 30 年改正では、ICT の活用による教育の質向上等を図るため、教育機関の授業の過程における公衆送信による著作物の利用全体に権利制限を拡大するとともに、権利者保護のため新たに無許諾で利用が可能となる部分について補償金制度を導入した（これま

で無許諾で利用できた形態については従前通り無償。）。なお、この補償金徴収については、教育現場における多様な著作物利用の手続きコストの軽減と権利者に対する適切な対価還元を図るため、文化庁長官の指定団体である（一社）授業目的公衆送信補償金等管理協会（SARTRAS）が集中管理を行っている。

第10項　インターネット上での海賊版対策

　違法音楽配信サイトやファイル共有ソフトによる違法な音楽・映像の著作物（侵害コンテンツ）のダウンロードの実態を踏まえ、平成21年の**著作権法**改正で、違法配信と知りつつ音楽・映像をダウンロードする行為を違法とした。さらに平成24年の改正においては、内閣提出の**著作権法**改正法案を議員修正する形で、悪質な違法ダウンロード行為に限定して刑事罰を課すこととした。

　令和2年には音楽・映像だけでなくマンガ、書籍、論文、コンピュータプログラムなどの静止画も含む著作物全般について、侵害コンテンツのダウンロード違法化の措置を講じるとともに悪質な行為に刑事罰を課すこととした。また、侵害コンテンツへのリンク情報を集約することによりアクセスを誘導するいわゆる「リーチサイト」や「リーチアプリ」について、サイト運営行為やアプリ提供行為とともに侵害コンテンツへのリンクを提供する行為について刑事罰を課し規制が行われた。

第11項　インターネット等を利用した著作物等の利用の円滑化と　　　　　柔軟な権利制限

　デジタル化・ネットワーク化の進展に伴う著作物利用環境の変化を受け、著作物の利用の円滑化を図るため、平成21年、24年の制度改正で逐次権利制限規定を整備してきた。しかし、個々の権利制限規定ではビッグデータやAIなどの最近の技術革新に対応できないとして、著作

物の市場に悪影響を及ぼさないことを前提にビッグデータを活用したサービス等のための著作物の利用について許諾無く行えるようにするとともに、イノベーションの創出を促進するため、情報通信技術の進展に伴い将来新たな著作物の利用方法が生まれた場合にも柔軟に対応できるよう、自由に著作物を利用できる場合の要件をある程度抽象的に定めた規定を整備した。この柔軟な権利制限規定の導入に当たっては、法の適用範囲についての予測可能性に課題が生じるという意見や、アメリカのフェアユースを念頭に新たなサービスに対応できるようできるだけ自由に著作物利用を認める制度とするべきとの意見があったが、前者については、ガイドラインの整備により運用を明確化することとし、後者については、今後出現することが予想される新たなサービスについて政令で規定する方法により新たな権利制限のニーズに迅速に対応できるようにした。

このように、近年、情報技術の発達により、保護の対象となる著作物の多様化だけでなく利用形態や複製媒体も多様化し、それらが情報産業やそのイノベーションと密接に関わるようになったことで、著作権行政は芸術文化行政であるだけではなく経済産業行政の側面を強めている。そして、著作権の保護と利用の在り方は国際的な政治問題となり、条約や国際協定に反映される。さらに、情報化社会の進展により、著作権そのものも、クリエーターや出版、レコード、映画製作に携わるような限られた人たちだけでなく、一般の人々の日常生活に深く入り込み、国民一般に対して著作権及びその利用に関する正しい知識や意識の普及・啓発の重要性が増している。その意味では、著作権行政は消費生活行政の側面もある。そして、著作権が産業や国民生活との関係を深める過程において、著作権行政には権利者保護と利用の円滑化のバランスがより求められるようになっている。

第2節　著作物利用の円滑化

第1項　著作権管理業務等の役割

　著作物を利用する場合は、原則として権利者から許諾を得なければならない。しかし、多数の著作物を一度に利用する場合、権利者それぞれから許諾を得ることは手間がかかり、一方、権利者としても多数の許諾を処理することは煩雑である。そこで多数の権利者からの委託を受けて著作権を集中的に管理し、利用者に著作物利用の許諾を与え、利用者から徴収した使用料を権利者に分配する事業が行われている。このような事業は昭和14年以降著作権に関する仲介業務に関する法律によって法的基盤が与えられていたが、事業実施が許可制であることによって新規参入を制限しているなどIT時代の多様な社会的要請に適合していないとの指摘等を踏まえ、平成13年にはこれに代わり新たに**著作権等管理事業法**が施行された。これにより、従来の許可制が登録制に、著作権使用料改訂について許可制が届出制に改められ、事業者数は制度改正前の4事業者から増加し、令和2年で29事業者となっている。

　一方、平成30年の**著作権法**改正において、インターネットによる著作物の教育利用について無許諾とする一方、補償金制度が導入されたことから、補償金について各管理事業者が協力してワンストップで補償金を徴収できる制度を設け、教育機関における授業等での多様な著作物利用の便宜を図った。

第2項　著作者不明の著作物の利用

　情報技術の進展により、誰もが著作物を利用し創作する時代にあって、著作物の適法かつ円滑な利用を促進する必用性が高まっている。しかし権利者あるいは連絡先が不明な場合などは著作物を適法に利用することが難しい。また、平成30年のTPP11や日EU・EPAの発効により、

著作物の保護期間が50年から70年に延長されたことに伴い、こうした
著作物が増える懸念もあることから、文化庁では著作者不明の著作物（孤
児著作物）利用に係る文化庁長官の裁定制度の利用円滑化を図っている。

第3節　著作権教育・普及啓発の推進

　著作権制度の運用においては、著作権等の適切な保護と著作物の利用
の円滑化とともに、著作権思想・制度の普及・周知が重要である。とり
わけ、インターネット上に無数の著作物が溢れ、簡単に利用できる環境
が身近にある時代においては、著作権に関する正しい知識や意識が不可
欠になっている。文化庁では、教職員や図書館職員向け講習会の開催や
教材や指導事例集の作成・提供を行うなど国民の著作権制度に関する理
解を促すための著作権教育や普及啓発に取り組んでいる。

　一方、インターネットを通じて世界中で著作物が利用される状況にお
いては、海外においても著作権制度の整備や著作権の普及啓発活動が重
要であり、文化庁では政府の知的財産戦略本部が策定した「知的財産
推進計画」等に基づき対策を推進しているほか、世界知的所有権機関
（WIPO）を通じた著作権保護事業に取り組んでいる。

第4節　著作物の保護期間と戦時加算

　昭和45年に制定された**著作権法**においては、著作物の保護期間は原
則著作者の「死後50年（映画の著作物は公表後50年）」とされていた。
映画の著作物についての保護期間については「公表後50年」とされ「死
後50年」より一般的に短くなることや諸外国において保護期間を「公
表後70年」とする国が多く、その国では相互主義により日本の映画は「死
後50年」しか保護されない状況があることから、平成15年の**著作権法**

改正により映画のみ「公表後 70 年」に延長された。

　その後、平成 30 年の TPP11 協定の発効に伴い、保護期間は原則著作者の「死後 70 年」に延長された（TPP11 協定では自然人の生存期間以外の基準で計算する場合には、原則として公表後 70 年まで保護することとされていることから、映画の著作物については「公表後 70 年」のまま。）。

　我が国の保護期間に関しては、サンフランシスコ平和条約に基づき、戦時加算という特例措置が講じられている。すなわち、同条約第 15 条（C）の国内措置として昭和 27 年に連合国及び連合国民の著作権の特例に関する法律が制定されて以降、連合国民の我が国における著作権の保護期間については、1941 年 12 月 8 日の開戦時から連合国各国との平和条約が発効した日の前日までの期間を通常の保護期間に加算して保護する義務が生じており、いわば著作権保護に関して不平等な取扱いが続いているとも言える。過去には、昭和 46 年に現行著作権法制を整備する際に保護期間を 30 年から 50 年へと延長する機会を捉えて、文化庁として戦時加算の解消を模索したものの、条約の規定の解釈上 [注12] 果たせなかった経緯がある。その後、民間の動きとして、平成 19 年には著作権協会国際連合（CISAC）において戦時加算の権利を行使しないよう加盟団体に働きかけることを要請する決議がなされた。最近では、保護期間を 70 年に延長する TPP 交渉の過程においても政府間でその解消に向けた努力が課題とされた。

第 **4** 章　宗務

第 1 節　宗教統制の時代

　宗務行政は、芸術文化行政以上に、国家の在り様とともに大きく変遷を遂げた行政分野である。すなわち、明治維新においては、王政復古・祭政一致の方針のもとに千年余りにわたる神仏習合の歴史に終止符が打たれたが、政府から出された**神仏判然令**（神仏分離）を契機とする廃仏毀釈運動や**社寺上知令**（領地没収）による寺院への社会的・経済的打撃は、同時に寺院所有の文化財を危機にさらし、その後の文化財行政に大きな影響を与えることになる。

　当時は、国における神道国教化の流れが背景にあったことから、明治 22 年に制定された**大日本帝国憲法**第 28 条において信教の自由が規定されたものの、あくまでも安寧秩序を妨げず臣民の義務に背かない限りという条件付きであった。この頃既に神社を崇敬すべきことは臣民の義務と解釈されており、その思想は学校教育を通じて広く教育されていった。このような状況下においては、特に非公認の宗教が弾圧を受けることもあったと言われている。

　その後、昭和 14 年に成立した**宗教団体法**においては、文部大臣に監督権限が与えられ、宗教団体等の行為が安寧秩序や臣民の義務に背く場合には禁止・制限されるなど、時勢を反映して厳しい統制が行われた。

第2節　戦後の宗務行政

　戦後の宗務行政は、連合国による日本管理政策の中で、軍国主義的ないし極端な国家主義的思想を根絶するとともに、信教の自由を確立し政教分離を徹底することから始まり、昭和21年に制定された**日本国憲法**の第20条及び第89条において信教の自由と政教分離の原則が明示された。これによって、それまでの宗務行政は根底から変革されることとなる。

　宗務行政は、**憲法**上の要請である信教の自由の保障や政教分離の原則にのっとり、宗教団体の自治を最大限尊重しその活動を保障することを前提とする。そのため、**宗教法人法**においては、宗教団体が礼拝の施設その他の財産の所有や宗教活動の業務運営に資するため、宗教団体に法人格を与え、自由で自主的な活動をするための法的基盤を確立することとなるが、他方、宗教法人が社会的実体として活動する上での責任と公共性も重視している。

　すなわち、同法の特色として①宗教法人の規則の作成、変更、合併等について所轄庁の認証を必要とし、この「認証制度」により宗教団体の実態を伴わない宗教法人の設立や法令違反の規則作成を防止するとともに、②宗教法人の事務決定機関として、責任役員を3人以上置き、そのうちの1人を、宗教法人を代表する代表役員とする「責任役員制度」をとり、それら役員の資格等は当該宗教法人の特性に応じて自由に定めることができるとされている。さらに、③財産の処分等や合併、解散等の宗教法人の重要な決定事項について、あらかじめ信者その他の利害関係人に周知させる「公告制度」を設けている。

　宗教法人の認証は所轄庁が行い、全国的に活動している教派、宗派、教団等の包括宗教法人については文部科学大臣が、その他の神社、寺院、教会等の単位宗教法人等は都道府県知事が行うこととなる。所轄庁の権限は、宗教法人の自主性を尊重する観点から、法律に定める管理運営面

についての権限に限られ、一般的な監督命令や強制的な調査の権限は有しない。

　宗務行政はこうした宗教法人の設立、規則変更等の認証をはじめとする**宗教法人法**の適正な運用を図ることに主眼があり、昭和63年には、宗教を目的とする団体でない者が税の優遇措置を利用するために宗教法人を設立したり、いわゆる法人売買により不活動法人を利用したりする動き、あるいは宗教法人の不適切な収益事業運営などが社会問題化したため、各都道府県に対し、設立及び規則変更等の認証事務の一層の適正を期するよう通達した。

　平成7年には、いわゆるオウム真理教事件を契機として、宗教法人の管理運営の民主性や透明性を高めるための**宗教法人法**の改正が行われた。

　この制度改正の内容は、宗教活動が多様化する中で所轄庁として法人の活動を定期的に把握することにより、その責任を果たせるようにするため、①それまでの教派、宗派などの包括宗教法人の他に、他の都道府県内に境内建物を備える宗教法人やそれを包括する宗教法人を新たに文部科学大臣の所管とし、②**宗教法人法**第25条で備付けが義務付けられている書類として新たに収支計算書及び財産目録に記載されていない境内建物に関する書類を付け加え、一部を除きそれら書類の写しを所轄庁に提出することを義務付けた。また、宗教法人の管理運営の民主性・透明性を高め、自治能力の向上を図るため、③新たに、信者その他の利害関係人であって事務所備付け書類を閲覧することに正当な利益があり、かつ、不当な目的によるものでないと認められる者から請求があったときはこれを閲覧させなければならないこととした。さらに、④所轄庁の権限行使の前提となる事実の確認手段として、あらかじめ宗教法人審議会の意見を聞いた上で報告徴収等することを可能としたことなどであり、所轄庁としての責任も高まっている。

　文化庁の行う宗務行政としては、このほかにも、法律の規定により宗

教法人審議会の意見を聴くこととされている事務を処理するとともに、宗教法人の管理運営の適正化に向け各種研修会等や調査研究、宗教資料の収集・提供^(注13)を行っている。

注
1　文化庁編「文化行政の歩み　文化庁創設10周年にあたって」1978
2　平成28年11月の文化審議会答申「文化芸術立国の実現を加速する文化政策」においては、文化庁のあるべき姿として、文化芸術の領域を広げ新しい文化の創造を促進することなどを求め、「新・文化庁」の構築が喫緊の課題とした。
3　根木は、戦後、芸術団体が国との関わりを敬遠し、国からの支援の必要性が表面化しなかったのは、戦前の統制・抑圧に対する心理的反動もさることながら、芸術活動の内容への干渉に対する警戒感がその根底にあったものであり、その後、舞台芸術の分野を中心に財政逼迫が顕在化し、支援の要請が高まった旨指摘する。根木昭編著『文化政策の展開―芸術文化の振興と文化財の保護―』放送大学教育振興会2007　44頁
4　芸術文化活動に対する公的資金投入を巡っては、我が国に限らず様々な議論が生じやすい。英国においては、原則、政府が芸術に直接助成しないというアームズ・レングスの考え方を採っており、アーツカウンシル・イングランドが政府の助成金の配分を行っている。
5　国内外の芸術家がある地域に一定期間滞在し創作活動、芸術家の相互交流、地域とのふれあいなどを通じて芸術家の創造力と地域の芸術文化の向上を目指す事業。
6　東京オリンピック・パラリンピック等に向け、観光とも連動させつつ、スポーツ・文化・ビジネスによる国際貢献や有形・無形のレガシー等について議論、情報発信し、国際的に機運を高めるためのキックオフイベント
7　「日本の美」総合プロジェクト懇談会（主催：安倍総理、座長：津川雅彦氏）において、日本人の美意識・価値観を国内外にアピールし、その発展及び国際親善と世界の平和に寄与するための施策の検討を行い、平成30年の「ジャポニスム2018」（パリ）をはじめ各国で大型の文化プログラムを展開してきた。平成30年6月の第6回懇談会では、2020年及びその前後には「日本博」として、「縄文から現代」「日本人と自然」の両コンセプトの下、日本の美を体現する美術展、舞台芸術公演、文化芸術祭等を国家プロジェクトとして全国で展開することが決定され、総理大臣より文化庁において準備を進めるよう指示があった。

8　国際文化交流の祭典の実施の推進に関する基本計画（平成31年3月閣議決定）においてその旨が明記された。

9　文化庁では、文化財の根本修理や維持修理などの修理サイクルとは別に、平成29年度から、外観や公開部分の内装を美しく保ち、観光資源としての魅力を向上させる取組を行っている。

10　我が国では、著作権等を取得するために登録等の特別な手続きは必要ない（無方式主義）が、著作権法は著作権等の移転等の登録など一定の事実関係を公示するための登録制度を定めており、登録を受けた場合には第三者対抗等一定の効果を確保できる。

11　環太平洋パートナーシップ協定（以下「TPP12協定」という。）を受け「環太平洋パートナーシップ協定の締結に伴う関係法律の整備に関する法律」（以下「TPP12整備法」という。）が平成28年12月9日に成立し、このうち著作権法の改正については、TPP12協定が日本国について効力を生ずる日から施行することとされていた。

　　しかし、トランプ政権に移行した米国が平成29年1月になってTPP12協定の離脱を表明したため、米国以外の11か国による「環太平洋パートナーシップに関する包括的及び先進的な協定」（以下「TPP11協定」という。）を締結することとなり、それに伴い「環太平洋パートナーシップ協定の締結に伴う関係法律の整備に関する法律の一部を改正する法律」（以下「TPP11整備法」という。）が平成30年6月29日に成立した。

　　TPP11整備法においては、TPP12整備法の施行日を原則としてTPP11協定が日本国について効力を生じる日に改められたことから、TPP12整備法において予定されていた著作権法の改正については、TPP11協定が日本国について効力を生ずる平成30年12月30日から施行された。

12　サンフランシスコ平和条約第15条（C）は、著作物の保護が要求される時点での国内法の定める保護期間に対して加算を行うものであるとの解釈が政府における公式見解であり、保護期間が延長されても戦時加算は解消されなかった。

13　我が国の宗教の動向を把握するために昭和24年から宗教団体数や信者数等に関する宗教統計調査を行っており、平成30年末で法人数は181,064、信者数は181,329,376である。（信者数は人口を超えているが、あくまでも宗教団体からの自主的な報告に基づくものであり、信者の概念が各宗教団体で決定されていることを考慮する必要がある。また、我が国では重層信仰が一般的であり、国民性や伝統が織り込まれた統計として理解する必要がある。）

第 3 部

文化政策としての文化行政改革
―京都移転を巡る経緯と文化行政の新たな展開―

　第2部の冒頭において、文化庁の創設は、行政改革の機会を活用してその当時の行政需要に積極的に応えようとしたものと受け止められたと述べたが、この度の文化庁京都移転の動きも、現下の文化行政が直面する今日的課題に対応すべく文化庁を大きく発展させようとする取組につながっている。京都移転が単なる物理的な移転の問題でなく、このような取組すなわち文化庁の機能強化の動きとなって顕在化したのは、行政機関たる文化庁が議院内閣制の下で果たす政策庁としての役割と無関係ではない。

　仮に、文化庁が事業の実施のみを担う官庁であったならば、移転に伴う政策形成過程における国会に対する説明責任の問題は直接生じないと思われるが、現在の国の中央省庁の組織編成の基本的考え方を示した行政改革会議最終報告においては、文化庁は政策立案機能を持つ外局（政策庁）として整理されている。その結果、国会に対する説明や政策ニーズの適切な反映という点において、国会や東京に多く集まっている文化関係団体から遠く離れることによる文化行政の弱体化に対する危機感が、文化庁だけでなく文化関係団体の間でも共有されたことが、国会をも巻き込んだこの度の文化庁の機能強化の取組を推し進めた原動力になったと言えよう。

　この文化庁の京都移転の動きは、大きくは地方創生の枠組みで進められてきたものである。しかし、それは単に組織の人員が移動することによる地方経済の活性化というような近視眼的なものではなく、物理的に地方の視点から文化行政に取組むことによって、平成10年の文化振興マスタープランでも指摘されていたように地方文化の活性化がひいては我が国全体の文化の活性化につながるという戦略的な考え方に基づくものである。それゆえに、文化庁としては移転後の機能がどうあるべきかという論点に大いに拘ることとなった。

　そこで、第3部では、文化庁の京都移転の動きがどのような文化

行政改革につながっていったかをその経緯を含め整理する。

第1節　文化庁の京都移転

第1項　行政機関の地方移転と文化庁

　文化庁の機能強化を中心とした文化行政の改革の取組は、平成29年6月の**文化芸術振興基本法**の改正（法の目的や基本理念だけでなく、法律名も改正され「**文化芸術基本法**」となった。）を嚆矢とする。しかし、文化庁においては、既にその前年の平成28年に始まった文化庁の京都移転の検討の過程で、文化庁の機能強化の検討が並行して進められていた。

　当時、文化庁の機能強化が図られなければ、京都移転によって我が国の文化行政が弱体化するのではないかとの強い懸念が文化庁関係者に共有されていた。それは、文化関係団体が東京に集中し、東京を中心に様々な情報が集まり発信されているという首都東京の持つ優位性だけでなく、予算獲得の過程において国会議員や関係省庁との緊密な連携が不可欠な国の文化行政の現状にかんがみると当然抱く懸念であった。

　そこで、文化庁では、仮に文化庁の京都移転を前提とした場合、文化庁が有すべき機能や体制とは何かを整理することとなった。それは単に、物理的に東京から離れることにより弱体化する機能の補填というだけでなく、移転の有無にかかわらず今日求められる文化庁の機能は何であるかも併せて考える契機になる。

　さて、このような文化庁の機能強化の動きを誘発した京都移転はどのような経過を経て政府決定に至ったのであろうか。

（1）　まち・ひと・しごと総合戦略

　そもそも、文化庁の京都移転決定に至る背景には、政府の掲げる地方創生の取組の本気度を示す大きな政治上の意図、すなわち、民間企業に本社機能の地方移転を要請するだけでなく、政府も自ら移転すべきとの

考え方があった。

　まち・ひと・しごと創生総合戦略（平成26年12月27日閣議決定）では、その政策パッケージの一つである「（２）地方への新しいひとの流れをつくる　（イ）企業の地方拠点強化、企業等における地方採用・就労の拡大　②政府関係機関の地方移転」の中で「2015年度には、道府県等は関係市町村の意見を踏まえ、国に対し、地方創生に資すると考えられる政府関係機関について、誘致のための条件整備の案を付して機関誘致の提案を行う。まち・ひと・しごと創生本部[注1]においてその必要性や効果につき検証した上で移転すべき機関を決定し、2016年度以降その具体化を図っていく」とされた。

　政府は平成27年3月にこの総合戦略に基づき「政府関係機関の地方移転」について道府県等に対し提案を募集する。これに対し42道府県から69機関の誘致の提案がなされたが、京都府からは文化庁及び関係する３つの独立行政法人（（独）日本芸術文化振興会、（独）国立文化財機構、（独）国立美術館機構）の移転の提案[注2]があった。

　中央省庁の地方移転の調整を担ってきた内閣府まち・ひと・しごと創生本部においては、後述する平成28年3月22日の「政府関係機関移転基本方針」（以下「移転基本方針」という。）において整理されているように、中央省庁の移転については三つの基本的視点、①地方創生の視点、②国の機関としての機能確保の視点、③移転費用等の視点から検討を進めることとされた。とりわけ、二つ目の国の機関としての機能確保の視点においては、行政権の行使に関し、国会に対して連帯して責任を負う内閣の中核としての中央省庁の国会対応業務（議案提出、答弁、説明等）は議院内閣制を採る我が国の**憲法**上の要請に基礎を置くものであることから、国会運営に支障が生じることのないよう十分留意が必要とされた。また、政策の企画・立案業務については、政府全体の調整が必要とされる場合が多く、官邸、関係省庁から遠隔の地に所在する場合には、これ

らの業務の適切な遂行が困難となることに留意する必要がある一方、地方を対象とした施策・事業の執行業務やそれと密接不可分な政策の企画・立案業務について地方移転を検討する意義は大きいとされた。

（2）　文化庁における京都移転提案の捉え方

　当時、文化庁内部では文化庁が京都に移転することについて①政府機関としての任務を遂行できるか、②整備に必要な費用は誰が負担するのか、③文化政策全体にとっての意義は何かという論点を掲げ、移転に消極的な見解を有していた。

　というのも、現在の国の中央省庁の在り方の基本となる平成9年12月の行政改革会議の最終報告においては、文化庁は政策立案機能を持つ外局（政策庁）として整理されており、このたびの政府関係機関移転基本方針にいう国の機関としての機能確保の視点に照らして遠隔の地に置くことには課題があることや、移転経費の負担の在り方如何によっては文化振興に費やされる既存予算を圧迫することへの強い警戒感があったのである。

　一方、文化庁は、平成14年1月に就任した河合隼雄長官の提唱による文化の力で関西地区から日本を元気にする「関西元気文化圏」の取組を支援するとして、平成19年1月には「関西元気文化圏推進・連携支援室」を京都に置くなど、行政面で京都府とのつながりが深かった。また、京都側からの文化庁の京都移転の提案の中においても、東京一極集中を脱することで、政治や経済中心の行政運営の中でともすれば埋もれがちな文化行政の重要性を訴えようとする「関西元気文化圏構想趣意書（平成15年5月）」[注3] の趣旨が反映されていた。これらの状況をかんがみると、国の行政機関の地方移転の取組が始まった時点において既に文化庁はその一部の機能を地方に移転する試みがなされていたと見ることができる。

平成28年1月14日には政府に対し京都商工会議所、京都府、京都市の三者連名の陳情が行われたが、その中で、先述したまち・ひと・しごと創生本部が掲げる中央省庁の移転検討に当たっての基本的視点の一つである移転費用等の視点に関連して、移設土地や庁舎の建設費用については地元も応分の負担をすることなどが表明された^(注4)。一方、文化庁内部では立法府との連絡調整は不可欠としつつも、国全体の文化行政と各地域に合った文化行政の二つの視点（いわば複眼的視点）が必要だとして「関西文化庁（仮称）」を京都に創設し他省庁の協力を得て全国各地における文化振興の在り方に係る政策形成拠点とする案が検討された。

第2項　まち・ひと・しごと創生本部決定

　まち・ひと・しごと創生本部では、平成28年3月末にも中央省庁の地方移転に関する基本方針を決定すべく、2月中旬には文化庁に対し京都移転の具体的な方向性を打診した上で、「移転基本方針」として本部決定に至った。

　この中では、文化庁の移転の意義について婁々述べられており、地方創生の視点から捉えた意義として、①文化財が豊かで伝統的な文化が蓄積した京都に移転することにより、文化行政の企画立案の更なる強化や国際発信力の向上が期待できること、②京都に文化政策による求心力と発信力を持たせることにより、今後の我が国の観光振興の重要戦略の一つである文化財を活用した観光の強化推進が期待できること、③グローバル化の時代、政治・経済、マスメディアが東京に集中する中で、地方創生のためには、地方の多様な文化への誇りの確保とその活用が求められており、文化の多様性の確保が重要であることを指摘している。また、国の機関としての機能確保の視点から捉えた意義としては、特に京都及び関西に多数が集積している文化財関係業務については、地域の文化資源を活用した観光振興・地方創生など今後拡充が見込まれる業務を勘案

すれば、移転の効果が大きいとされた。

このように、移転の意義については期待や仮定を前提としたものであり、その意義が実現できるかどうかについては、ひとえに文化庁はじめ関係省庁の今後の取組如何によるものであることは明らかであったが、とりわけ、その後の文化庁の機能強化の取組の契機として重要なのは、この移転基本方針にある具体的な対応方向と題する記述である。すなわち、「外交関係や国会対応の業務、政策の企画立案業務（関係省庁との調整等）の事務についても現在と同等以上の機能が発揮できることを前提とした上で、地方創生や文化財の活用など、文化庁に期待される新たな政策ニーズ等への対応を含め、文化庁の機能強化を図りつつ、全面的に移転する。」とされたのである^(注5)。

ここでは、京都移転の前提として国会対応や関係省庁との調整等の機能がこれまで以上に発揮できるだけでなく、地方創生を推進する組織体制を構築することも文化庁の機能強化の内容として謳われている。国会対応や関係省庁との調整業務など行政機関として東京に残すべき機能があることから、組織の分裂による文化行政の弱体化を防ぐための機能強化が必要なことはもちろんであるが、さらに、地方創生における文化行政の今日的ニーズに対応するためには、地方創生・まちづくりや観光などの領域も含めて文化行政を総合的に推進するべきであり、そのための組織体制構築が必要なことなど、当時の文化庁が抱いていた文化行政の機能強化に向けた考え方が反映されている。

文化庁においては、2月に「移転基本方針」の打診を受けた段階で、このような機能強化の内容、及び地方を対象とした施策・事業の執行業務やそれと密接不可分な政策の企画・立案業務について地方移転を検討する意義は大きいとするまち・ひと・しごと創生本部の考え方に照らし、文化庁の業務について地方に移転可能なものとそうでないものとを分類することが果たして可能かを検討することとなった。何故なら、文化庁

の業務の中で文化財の指定等の業務や補助金の執行業務が大きな比重を占めており、それらの業務について企画と執行とを分別することが困難と思われたからである。

　そこで、とりあえず庁内の関係各課の事業の棚卸しをするべく全事業についてヒアリングを実施し、当面の方針として、文化庁が現在と同等以上の機能を発揮するためには、「危機管理業務」、「外交関係業務」、「国会関係業務」、法案作成等の「政策の企画・立案業務（関係省庁との調整等）」を担う部局は、国会や総理官邸、他省庁等の所在する東京に置くことが必要であるとした。また、当時の文化庁においては政策の企画・立案業務と執行業務が同じ係内に共存している状況があったため、地方を対象とした施策・事業の執行業務やそれと密接不可分な企画・立案業務を極力分けつつも、国全体の文化政策に関わる業務は東京で行うこととするか、一時的に本拠を東京に移して対応するしかないと考え、そのためにも抜本的な組織改編が必要と思われた。この点はまち・ひと・しごと創生本部も認識しており、先ほどの移転基本方針の中でも、移転のための抜本的な組織見直しの検討の必要性が述べられている。

　他方、文化庁では、機能強化について、単に物理的に東京から離れることにより補うべき機能を強化するだけにとどまらず、地方創生・まちづくりや観光などの領域も含めて文化行政を総合的に推進する機能強化が求められていると考えており（資料3-3参照）、4月には京都移転の先駆けとして置く組織（後の地域文化創生本部）にその部分を担わせる構想について京都府・市と調整を開始することとなる。すなわち、文化芸術資源と観光振興、くらしの文化や文化を活かしたまちづくり、文化芸術と産業イノベーション、文化芸術による社会的包摂、さらには、文化政策研究の機能確保の5つの視点に基づく機能強化関連事業の先行実施である。

　いずれにせよ、このたびの京都移転に伴う文化庁の機能強化について

は、文化政策として大きな転換点となる可能性もあることから、京都移転も含めた検討体制を強化（資料3-5参照）すべく、文化庁内に「文化庁機能強化検討室」を置くとともに専任の内閣審議官が増員され、文化庁に常駐することとなった。また、あるべき機能強化の内容を専門家の意見も交えてオーソライズするため、平成28年9月には、文化審議会に審議要請を行い、11月17日には文化政策について強化すべき点について提言「文化芸術立国の実現を加速する文化政策（答申）―『新・文化庁』を目指す機能強化と2020年以降への遺産（レガシー）創出に向けた緊急提言―」が打ち出されることとなる（資料3-6参照）。

（資料3-1）まち・ひと・しごと創生総合戦略（抄）

まち・ひと・しごと創生総合戦略について

平成26年12月27日
閣議決定

Ⅲ．今後の施策の方向
2．政策パッケージ
（2）地方への新しいひとの流れをつくる
（イ）企業の地方拠点強化、企業等における地方採用・就労の拡大

【施策の概要】
　人口の東京への過度な集中を是正するためには、地方での安定した良質な雇用確保が必要であるが、企業の本社等の東京23区への集中が進んでおり、採用においても東京での一括採用がほとんどである。地方の企業による優秀な人材の確保や定着を促進するため、特に、東京23区からの本社機能の一部移転等による地方拠点強化や企業の地方採用枠拡大に向け、官民挙げての取組を推進する必要がある。また、地方においては若い女性の雇用のミスマッチが生じていること、それが地域からの若い女性の転出

につながっているという指摘も踏まえ、地方における女性の採用を進める企業を支援する必要がある。加えて、農村地域への農業関連産業等の導入促進により、地方における就業機会を拡大する必要がある。

さらに、東京に居住せず地方に住みながら仕事ができるような環境が整備されれば、若者や女性を含め一層多くの人々が地方において産業・社会の担い手として能力を発揮することができる。

また、政府関係機関（独立行政法人等の関連機関を含む。）の中には、地方の発展に資するものが存在することが指摘されており、こうした政府関係機関について、地方からの提案を受ける形で地方への移転を進めることが、地方への新しいひとの流れをつくることに資すると考えられる。

こうした観点から、国が2020年までに達成すべき重要業績評価指標（KPI）を以下のとおり設定する。

■本社機能の一部移転等による企業の地方拠点強化の件数を2020年までの5年間で7,500件増加

■地方拠点における雇用者数を4万人増加

【主な施策】

◎ (2)-(イ)-② 政府関係機関の地方移転

政府関係機関（独立行政法人等の関連機関を含む）の中で地方が目指す発展に資する機関について、地方公共団体から移転要望があること等を踏まえ、2014年度内に各府省庁が所管している研究機関・研修所等のリストを作成する。2015年度には、道府県等は関係市町村の意見を踏まえ、国に対し、地方創生に資すると考えられる政府関係機関について、誘致のための条件整備の案を付して機関誘致の提案を行う。まち・ひと・しごと創生本部においてその必要性や効果につき検証した上で移転すべき機関を決定し、2016年度以降その具体化を図っていく。なお、可能なものについては、前倒しで実施する。

平成 28 年 3 月 22 日
まち・ひと・しごと創生本部決定

政府関係機関移転基本方針

　まち・ひと・しごと創生本部においては、「まち・ひと・しごと創生総合戦略（平成 26 年 12 月 27 日閣議決定）」に基づき、東京一極集中を是正する観点から、政府関係機関の地方への移転について検討を行ってきた。

　今回の取組は、道府県等からの提案を踏まえ検討を行うものであり、これまで平成 27 年 12 月 18 日に「政府関係機関の地方移転に係る対応方針」（以下、「移転対応方針」という。）を取りまとめ、その後、「移転対応方針」及び「まち・ひと・しごと創生総合戦略（2015 改訂版）（平成 27 年 12 月 24 日閣議決定）」に基づき検討を重ねてきた。

　検討に当たっては、その機関が地方に移転することによって、①地方創生の視点から、地域の「しごと」と「ひと」の好循環につながるか、②当該機関のミッションを踏まえ、全国を対象とした国の機関としての機能の維持・向上が期待できるか、③「なぜ、そこか」について移転先以外を含めた理解が得られるか、④地元の自治体・民間等の協力・受入体制はどうか、といった点について、国の新たな財政負担は極力抑制し、組織・人員の拡充方向が出されているもの以外は肥大化を抑制することを前提に、有識者の意見も聞きながら、できるだけ道府県等の立場に立って検討を行い、以下の方針を取りまとめた。

Ⅱ．中央省庁の地方移転について
　1．基本方針
　　　中央省庁（府県から中央省庁と一体として移転を提案されている独立行政法人を含む）の移転については、以下の基本的視点から検討を進め、別紙2のとおり成案を得た。今後、この基本方針に沿って取組を進め、その進展について適切なフォローアップを行うものとする。
　　（1）地方創生の視点
　　　地方移転が、移転先の地域を含め我が国の地方創生に資するかどうか。

（2）国の機関としての機能確保の視点（注）

　地方移転によって、機能の維持・向上が期待できるか。

　　①地方移転によって、現在と同等以上の機能の発揮が期待できるか。

　　②「なぜ、そこか」について、移転先以外を含めた理解が得られるか。

　　③危機管理等官邸をはじめ関係機関との連携や国会対応に支障が生じないか。

　　④当該機関の効率的な業務運営や国民に対する行政サービスの低下を招かないか。

（3）移転費用等の視点

　　①地方移転によって、過度な費用の増大や組織肥大化にならないか。

　　②地元の協力・受入体制が整っているか。

（注）「国の機関としての機能確保の視点」に関する検討について

　　中央省庁については、1.（2）の「国の機関としての機能確保の視点」から、以下のとおり業務内容に応じた検討を行った。

　　①「危機管理業務」、「外交関係業務」及び「国会対応業務」について

　　・　中央省庁は、内閣の統轄の下、国が果たすべき役割について、総合性、機動性を持ち、重点的かつ効率的に行政事務を遂行することが求められることから、官邸をはじめ関係省庁に近接した地域に立地しており、特に、「危機管理業務」や「外交関係業務」は、官邸からの指示を受け、迅速かつ密接に連携を図り業務を遂行することが強く求められる。

　　・　また、行政権の行使に関し、国会に対して連帯して責任を負う内閣の下にある中央省庁の「国会対応業務」（議案の提出、答弁、説明等）は、我が国の憲法上の要請に基礎を置くものであり、国会運営に支障が生じることがないよう十分な留意が必要である。

　　②「政策の企画・立案業務」について

　　・　法案作成等の「政策の企画・立案業務」については、政府全体の調整が必要とされる場合が多く、官邸、関係省庁から遠隔の地に所在する場合には、これらの業務の適切な遂行が困難となる場合があることに留意する必要がある一方、「施策・事業

の執行業務」と密接不可分な部門については、執行部門に近い立地とすることが適当である。

③「施策・事業の執行業務」について

・ 「施策・事業の執行業務」については、多くの省庁において地方支分部局等が担っているように、できる限り実施現場に近いところで実施されることが効果的・効率的である。したがって、地方創生の観点から、地方を対象とする「施策・事業の執行業務」、あるいは、執行業務と密接不可分な一定部門の「政策の企画・立案業務」については、地方移転を検討することは意義が大きい。また、既に地方支分部局等で事務を実施している場合は、この機能強化についてさらに進める必要があると考えられる。

・ 上記の具体的な検討に当たっては、当該機関の効率的な業務運営や全国に所在する関係者に対する行政サービスの低下を招かないようにする必要がある。このため、

(ア)「なぜ、そこか」について、移転先以外を含めた理解が得られるかについて留意する必要がある。

(イ)ICT（テレビ会議等）活用による業務改善や地域の協力によって人材確保を含む機能確保が可能かどうかといった点について、実地における検証を含め検討を行う必要がある。

(ウ)移転費用等の視点から、地方の協力も得ながら、移転に伴うコストを極力低減することや拡充方向が出されているもの以外の組織の肥大化を避けるための工夫について積極的な検討が必要である。

(エ)移転先となっている地元の協力・受入体制が整っているかについて、留意する必要がある。

2．国の機関としての機能発揮の検証（社会実験）

今回の政府関係機関の地方移転の取組は地方からの提案を受ける形で実施したが、これとは別次元の取組として、民間でみられるような、ICTを活用したテレビ会議やテレワーク等を通じた業務実施の試みを更に進め、国家公務員全般にわたる従来の業務形態を見直すことは、地方で実施可能な業務範囲の拡大の可能性という地方創生の視点にとどまらず、国家組織のあり方や行政改革の視点から意義が大きいと考えられ、働き方改革にもつながるものである。

このため、地方創生の視点のみならず、国家組織のあり方や行政改革、働き方改革の視点に立って、国の機関における業務について、SNSの普及に見られるようなICTの進展を踏まえ、テレビ会議やテレワークその他最新のICT等も活用した実証実験に政府全体で取り組む。

　こうした取組の先行的実施として、文化庁、消費者庁及び統計局においては、地元の協力・受入体制の意向を確認しつつ、テレビ会議などのICT活用等を通じ、機能発揮の可否や具体的な課題など地方移転のメリット・デメリットについて検証を行いながら検討を進める。この先行的実施の状況を見つつ、各省庁も参加して試行することとし、新しい時代にふさわしい国家組織のあり方や行政改革、働き方改革について検討し、成案を得る。

別紙2

文化庁の移転について（京都府提案）
（1）地方創生の視点
　文化庁が京都府に移転することは、以下の理由により極めて意義が深い。①文化財が豊かで伝統的な文化が蓄積した京都に移転することにより、文化行政の企画立案の更なる強化や国際発信力の向上が期待できること、②京都に文化政策による求心力と発信力を持たせることにより、今後の我が国の観光振興の重要戦略の一つである文化財を活用した観光の強化推進が期待できること、③グローバル化の時代、政治・経済、マスメディアが東京に集中する中で、地方創生のためには、地方の多様な文化への誇りの確保とその活用が求められており、文化の多様性の確保が重要であることから、地方創生の視点からみて意義は大きい。
（2）国の機関としての機能確保の視点
　①　文化庁は施策・事業の執行業務が一定規模を占めており、しかも地方支分部局等の地方関係機関を有していない。これらの業務については、現場に近いところで実施する視点から、ICTの活用等による業務の効率性や他の地域からのアクセスも考慮しつつ、移転する方向で具体的に検討することが適当である。特に、京都及び関西に多数が集積している文化財関係業務については、地域の文化資源を活用した観光振興・地方創生など今後拡充が見込まれる業務を勘案すれば、移転の効果は大きいと考えられる。

② 政策の企画・立案業務については、移転する執行業務と密接不可分に行うことが効率的な業務の移転について、併せて検討することが適当である。

③ 文化庁は予算規模・人員とも文化財行政の比重が大きいが、これ以外の文化行政についても、一体として実施することが効果的であるものは移転することが適切と考えられる。なお、移転する組織の範囲や東京の部局との連携の方法については、ICT の活用等による実証実験等を活用して、検討することが考えられる。

（3）移転費用等の視点

文化庁の移転に伴う費用については、京都側が土地の提供や庁舎建設費用についての応分の負担をする意向が示されている。国としても、行革の観点を踏まえつつ、具体的な移転費用の検討や機能強化を図るため、今後、内閣官房及び関係省庁において具体的な協議を進めていく必要があると考えられる。

（4）具体的な対応方向

文化庁については、以下のような方向で進める。

○ 外交関係や国会対応の業務、政策の企画立案業務（関係省庁との調整等）の事務についても現在と同等以上の機能が発揮できることを前提とした上で、地方創生や文化財の活用など、文化庁に期待される新たな政策ニーズ等への対応を含め、文化庁の機能強化を図りつつ、全面的に移転する。このため、抜本的な組織見直し・東京での事務体制の構築や移転時期、移転費用・移転後の経常的経費への対応などを検討するための「文化庁移転協議会（仮称）」を文部科学省と内閣官房、関係省庁の協力の下、政府内に設置する。ＩＣＴの活用等による実証実験を行いつつ、８月末をめどに移転に係る組織体制等の概要をとりまとめ、年内をめどに具体的な内容を決定し、数年の内に京都に移転する。なお、文化関係独立行政法人は、上記と並行して、検討を進める。

注：文化関係独立行政法人とは（独）日本芸術文化振興会、（独）国立美術館、（独）国立文化財機構である。

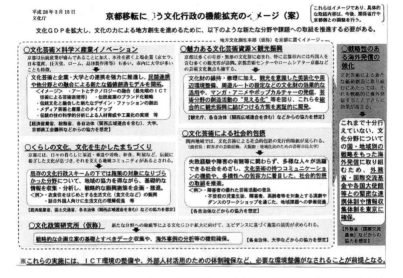

（この資料は、検討当時の紙ファイルをそのまま転載しているため、一部不鮮明な部分があります。）

第3項　文化庁移転協議会

　移転基本方針おいては、文化庁の移転の具体的な内容を協議するための検討の場についても言及されており、「（文化庁の）抜本的な組織見直し・東京での事務体制の構築や移転時期、移転費用・移転後の経常的経費への対応などを検討するための「文化庁移転協議会（仮称）」を文部科学省と内閣官房、関係省庁の協力の下、政府内に設置する」こととされた。文化庁移転協議会（以下「移転協議会」という。）は、文部科学事務次官及びまち・ひと・しごと創生本部事務局長でもある内閣官房地方創生総括官の二人が共同座長を務め、文化庁、京都府及び京都市等の関係者で構成された。

　なお、今後の抜本的な組織見直しの中で機能強化の道筋を示す必要が

あることから、文化庁はこの協議会への内閣人事局や財務省などの官庁の参画の必要性について強く主張し、移転に係る組織・人員や財政措置の観点から内閣人事局、財務省がオブザーバーで参加することとなった。

　移転協議会は移転に向けた具体的な詰めを行う組織として位置付けられていることから、重要な決定事項があるときは協議会が開かれることとなる。

（1）第1回移転協議会（平成28年4月26日）
　議題：①協議会の運営方法について
　　　　②今後検討すべき課題について

　このような京都移転に向けた実務上の協議を行う移転協議会の性格にかんがみ、事務方を構成員として発足したものの、実際の運営については政治的色彩を帯びるものとなった。第1回目は、地方創生担当大臣、文部科学大臣、京都府知事、京都市長が事実上同席する異例の展開となり、それぞれの立場や思惑の隔たりを背景に期待や懸念が述べられた。2回目以降の協議会に向けては、協議会の下に幹事会を置き、あらかじめ論点を整理することとなった。

　第1回移転協議会では、まず、今後検討すべき課題の整理を議題としたが、移転基本方針で示された「ICTの活用等による実証実験を行いつつ、8月末をめどに移転に係る組織体制等の概要（以下「移転の概要」という。）をとりまとめ、年内をめどに具体的な内容を決定し、数年の内に京都に移転する」という方向性を強く意識したものとなった。具体的には①新たな政策ニーズ（地方創生、文化財活用、広域文化観光、生活文化等）に対応するための文化庁の機能強化、②移転後も、国の機関としての機能を維持・向上するための東京での事務体制の構築、③移転時期、移転場所、移転費用・移転後の経常的経費への対応（京都側の応

分の負担）、④ ICT の活用等による実証実験、⑤その他移転に関すること とされた。

（2）第2回移転協議会（平成28年8月25日）
　議題：①文化庁の京都移転に関連した実証実験について
　　　　②「文化庁の移転の概要について（案）」について　など

　第2回の移転協議会の開催に至る過程では、移転基本方針にいう「移転の概要」の取りまとめに向け、文化庁と京都府・市と具体的な協議に入ることとなる。文化庁では、文化庁の機能強化の内容について検討を進めていたが、これまでの文化行政の成果と課題を踏まえ、時代の変化に応じた取組を進めるためには、文化行政を大胆に転換し、新たな文化行政の推進体制の強化・充実が必要であると考えていた。すなわち、従来の文化芸術の範囲に閉じることなく、観光・産業、教育、福祉、まちづくり等の様々な関連分野との連携を強化し、総合的に施策を推進する体制や、文化芸術資源を核とする地方創生の推進体制、さらには、生活文化、近現代文化遺産等の複合領域や新分野に対応できる体制の構築について、抜本的な組織見直しの内容として「移転の概要」に書き込むこととなる。

　移転協議会の作成する文書において、文化庁の機能強化の内容を示す政策的意義は大きく、単に文化庁と京都府・市との間で移転の具体的内容のコンセンサスを得るだけでなく、移転基本方針決定後に文化庁が考えてきた文化庁の機能強化の内容について、機構定員要求や概算要求前の早い段階で内閣人事局や財務省等の関係府省のコンセンサスを得ることにつながる。

　一方、この会議では、数年はかかるであろうとされた文化庁の移転の取組におけるいわば先行的取組として、文化庁の組織の一部を京都に移

転することにより、全面的移転に向け国全体の文化行政におけるメリットを検証することが決定され、京都側の協力も得て30人程度の体制を構築する（「地域文化創生本部（仮称）」）こととされた。

（3）第3回移転協議会（平成28年12月19日）
　議題：①地域文化創生本部（仮称）について
　　　　②本格移転先の候補の選考結果について
　　　　③「文化庁の移転について（案）」について

　第3回の移転協議会では、移転基本方針にあるように「年内をめどに具体的な内容を決定」すべく、前回の移転協議会において取りまとめられた「移転の概要」をさらに具体化することとなる。すなわち、①先行的な取組となる地域文化創生本部のより具体的な内容、②平成28年11月に取りまとめられた文化審議会の答申を踏まえた文化庁の機能強化の方向性、さらには、③本格移転先を京都府警察本部本館はじめ4つの候補地に絞ることについて決定された。

（4）第4回移転協議会（平成29年7月25日）
　議題：「新・文化庁の組織体制の整備と本格移転に向けて（案）」について

　第4回の移転協議会においては、「新・文化庁の組織体制の整備と本格移転に向けて」が取りまとめられたが、この内容は、平成30年度予算等の概算要求を目前に控え、移転基本方針で述べる文化庁の抜本的な組織見直しの方向性を具体的に打ち出すものとなっている。抜本的な組織見直しは、文化庁の組織が京都と東京とに分かれても同等以上の機能が発揮できること及び文化庁に期待される新たな政策ニーズに対応可能

なことの大きく2つの課題を克服できることが目標であり、文化庁の京都移転の成否の鍵となるものであった。

　文化庁の機能強化については、当初より移転協議会において一貫して検討課題に挙げられていたが、平成29年6月には国会で**文化芸術振興基本法**の改正が行われ、この改正を踏まえた文化庁の抜本的組織見直しに係る**文部科学省設置法**改正やそれに関連する機構定員要求の方向性が視野に入ってきたことから、その具体的な内容を示すこととなった。

　すなわち、国家行政組織としての文化庁の課題として①規制や助成などの執行業務が多くを占め、機動的な政策立案が困難であること、②文化芸術概念の拡張への対応と、資源としての活用策が不十分であること、③政策の基盤となる調査研究や効果分析が不十分であることを掲げた上で、**改正基本法**や平成28年11月の文化審議会の答申を受けて「新・文化庁」構築に向けた機能強化と組織改革の方向性を次のように示した。

（文化政策の対象拡大）

・科学技術と融合した文化創造や若者文化の萌芽支援など新文化創造
・食文化をはじめとする生活文化など複合領域の文化芸術振興
・近現代の文化遺産や美術への対応
・文化芸術資源を活用した地方創生、地方公共団体文化政策との連携

（文化芸術活動の基盤充実）

・文化芸術教育・体験の充実を通じた世界トップレベルからボランティアまで多様な文化芸術人材の育成
・障害者・高齢者・外国人はじめ個のニーズに応じた文化芸術アクセスの拡大
・日本語教育の質の向上
・技術の発達など今日的ニーズを踏まえた著作権制度の整備
・文化芸術に係る多様な財源の確保と民間協働の促進

（文化政策形成機能の強化）
　・様々な関連分野と有機的に連携した文化政策の総合的な推進
　・国内外への日本文化の戦略的発信
　・国内外の情報、各種データの収集・分析など文化政策調査研究
　さらに、改正**基本法**の趣旨である文化行政を総合的に推進する観点からは、縦割りを超えた機動的な取組ができる組織体制^(注6)とすることや関係府省庁や、地方公共団体、民間団体などから広く人材を受け入れ、開かれた体制とすることが提言された。

　また、この協議会において、京都府警察本部本館を本格移転先に決定するとともに、移転対象の職員数について全体の7割を前提に、地元の協力も得ながら250人程度以上見込むものとされ、移転時期については平成33年度中（令和3年度中）^(注7)とされた。

　なお、文化庁の移転と合わせて要望のあった文化関係独立行政法人（（独）国立文化財機構、（独）国立美術館（独）日本芸術文化振興会）の京都移転については、東京に立地する施設と一体となって効率的な運営を行っており、移転については費用の増大などの課題が多いが、例えば広報発信や相談などの機能を京都に設けることは一定の意義・効果が期待できるとし、文化庁の移転時期にこのような機能を置くことについて効果を含めた具体的な検討をすることとした。

（5）第5回移転協議会（平成30年8月7日）
　議題：「新・文化庁における文化政策の展開と本格移転先庁舎の整備
　　　　について（案）」

　移転協議会の主な議題のうち未解決となっていた費用負担については、京都における体制が概ね固まったことを受けて検討が進められた。もともとまち・ひと・しごと創生本部においては、中央省庁の移転につ

いては移転費用等の視点がその採否の判断基準になっており、文化庁の京都移転については、他の自治体からの要望と異なり、京都府・市側から官民挙げての積極的な負担の申出があったことが具体化の決め手となったとも言われていたが、平成28年1月14日の京都側の要望書に記載されていた文言に基づき地元の協力[注8]を織り込んだ形で決着した。

　以上のように、移転基本方針に示された移転協議会における検討事項の主なもの（文化庁の抜本的な組織見直し・東京での事務体制の構築や移転時期、移転費用・移転後の経常的経費[注9]への対応）については、概ね第5回の移転協議会までにほとんどの成案を得ることとなるが、その後も、移転時期の変更など重要な協議事項がある場合には、適宜開催された。

第4項　国会における京都移転に関する議論
　文化庁の京都移転に関しては、一極集中の是正という国家戦略としてまず進めるべきとする意見、新しい文化を生み出していく取組や発信力の点で移転に慎重な意見などがあったものの、国会の場における議論は深まらなかった。この要因としては、文化庁の京都移転に伴うメリットやデメリットが行政運営に関わるものであり、直接的に国民の利害に結びつくものでなかったなど原因はいくつか考えられるが、とりわけ文化庁をはじめとする国の行政機関の主たる事務所の位置が独立行政法人のように法定されておらず国会の審議が必ずしも必要ないことも影響していると考えられる。

　そして、国会の議論が深まってくるのは、後に述べるように、京都移転の前提条件である文化庁の機能強化の内容を盛り込むという大義名分の下に改正を試みた**文部科学省設置法の一部を改正する法律**案の国会審議においてである。

なお、文化庁の京都移転などを含んだ「移転基本方針」は、閣議決定される「まち・ひと・しごと創生基本方針」にそのまま引用されることから、与党による審査が必然的に生じたが、移転に慎重な意見はあったものの否定はされなかった。

第5項　京都移転の実証実験

　移転基本方針では、移転に向けて「ICT の活用等による実証実験を行いつつ……移転に係る組織体制等の概要をとりまとめ」るものとされたが、行政機関の移転自体が政府として初めてのケースとなるため、このような実証実験は円滑な移転に向けた重要なプロセスとなる。

　もともと移転基本方針は、行政機関の地方移転の前例がない中において机上で策定された方針である。したがって、その実現に当たり実際に遠隔地での業務を機能させるために解決すべき課題は、組織体制だけでなく、受け入れ場所の選定、テレビ会議などのテレワーク実施上の課題や東京と京都を往復する旅費等の必要経費など多岐にわたる。

　最初の実証実験は平成 28 年 7 月に 2 週間にわたって約 10 名の職員が常時京都に滞在する形で行われた。その内容は、テレビ会議システムを用いた業務報告や打ち合わせ、審議会の開催など ICT の活用の実証、視察や意見交換を交えた京都の文化行政の状況把握等が中心であった。この実証実験の成果や課題は直近の第 2 回移転協議会で報告されている。

　さらに、平成 30 年の**文部科学省設置法**改正時の附帯決議において試行の検証結果について適宜国会へ報告が必要になったことを踏まえ、事前に移転協議会に諮った上で、令和元年の臨時国会期間中である 10 月から 11 月にかけての 2 か月間、国会等との関係業務も含む集中的な試行を実施した。具体的には、与党で行われる会議に文化庁職員の出席が求められたり、国会議員から個別に説明を求められたりした場合にテレビ会議による参加を実験的に行うなどした。その後も令和 2 年の 10 月

から 11 月にかけてより大規模な実証実験が行われるなど、課題の抽出に向けて実証実験が繰り返し行われた。

　折しも令和 2 年初めより、新型コロナウイルス感染症対策のため、社会全体でテレワークなどの取組が進むなど、働き方改革が格段に進んでいる。このたびの行政機関の遠隔移転を念頭に取り組まれる文化庁の働き方改革の成果により、今後の行政機関相互や国会と行政機関との間での仕事文化を根本的に変革する契機となることが期待される。

第 6 項　地域文化創生本部の設置

　文化庁の移転は、期待される新たな政策ニーズに対応する機能強化を図りつつ、地方創生を目指すものである。しかしながら、移転基本方針で示された京都移転の全国的なメリットについては具体性に乏しく国民の理解も得難い。そこで、文化庁では、平成 28 年 8 月の移転の概要の取りまとめに向け、4 月 6 日から 7 日にかけて、より具体的な提案を京都府・市に対して行うこととなる。すなわち、文化庁の京都移転が全国の文化行政の向上に資するものであることが国民に理解できるよう、それぞれから定員を持ち寄って取組を可視化できる組織の立ち上げを呼びかけた。この提案はその後開かれる移転協議会の場で具体的な内容が詰められ、平成 29 年度 4 月に京都に初めて置かれる本格的な文化庁組織「地域文化創生本部」という形で実現することとなる。

　平成 28 年 8 月の第 2 回移転協議会で示した「文化庁の移転の概要について」においては、京都移転の全国的メリットを示すことにつながる先行的取組を行うことが打ち出される。京都移転が本格化するまでには受け入れ先の整備も含め数年を要することから、それまでの間、地元の協力を得て、平成 29 年度から文化庁の組織の一部として 30 名規模の組織（地域文化創生本部）を京都に置き、テレワークの実証も兼ねて先行組織による京都移転の意義の発信や課題の検証に取り組むこととしたの

である。

　この組織の所掌する業務としては、4つの柱が掲げられた。すなわち
①食を含む生活文化等の地域の文化芸術資源と伝統産業、先端産業、コ
ンテンツ産業をはじめとするものづくりの分野との連携により地方創生
や経済活性化を促進する拠点形成事業等、②文化財を活かした総合的な
観光拠点の形成や、伝統文化・生活文化を活かした広域文化観光の実現
にかかるモデル事業等、③ 2017 年の東アジア文化都市 ^{（注10）} に指定され
た京都市の人的交流・文化協力を促進させる事業、④政策調査研究機能
の充実等である。①②は文化庁が行う全国を対象とした予算事業のうち
生活文化や広域文化観光に関わるもの、③は京都で平成 29 年度に開催
が予定されている事業、④は先述した「関西元気文化圏推進・連携支援
室（平成 26 年 4 月からは文化庁・文化芸術創造都市振興室に名称変更）」
の活動が念頭に置かれた。

　組織や業務のより詳細な内容は、平成 28 年末の第 3 回移転協議会で
示されることとなるが、特に注目すべきは、地域文化創生本部が、移転
基本方針で示されたところの地方創生や文化財の活用など、文化庁に期
待される新たな政策ニーズ等への対応業務を担当するだけでなく、その
組織体制についても、文化庁だけでなく、他省庁、京都府・市、関西広
域連合、商工会議所、民間団体、大学といった様々な職員によって構成
されることである。すなわち、第 4 回移転協議会では、改正**基本法**の趣
旨に照らし、文化庁に対し、文化行政を総合的に推進するための縦割り
を超えた機動的な取組ができる組織体制とともに関係府省庁や、地方公
共団体、民間団体など広く開かれた体制を求めているが、地域文化創生
本部においては、新たな発想で文化創造に取り組むべく多様な人材構成
とすることにより、移転協議会が求める文化庁の新たな組織体制構築の
先鞭をつける形となったのである。

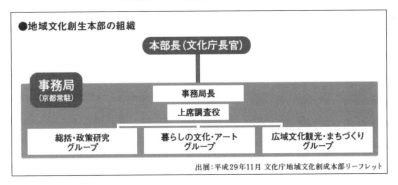

出展：平成29年11月 文化庁地域文化創成本部リーフレット

第2節　文化庁の機能強化

第1項　文化審議会での議論

　前述した文化庁内部で検討してきた文化庁の機能強化の方向性については、単に事務的な検討にとどまらず、文化政策の視点から客観的に評価しておく必要がある。そこで、平成28年9月27日、文部科学大臣から文化審議会に対し、文化庁の機能強化及び東京オリンピック・パラリンピック競技大会開催年の2020年以降のレガシー創出に向け文化政策を強化すべき点について審議要請を行った。

　文化審議会では政策部会にワーキングチームを置いて異例のスピードで審議が行われ、11月17日には「文化芸術立国の実現を加速する文化政策（答申）―「新・文化庁」を目指す機能強化と2020年以降への遺産（レガシー）創出に向けた緊急提言―」として取りまとめられることとなる。答申の中では、文化庁の目指すべき姿として、文化芸術の領域を広げ新しい文化の創造を促進することや、そのために文化政策を関連分野と緊密に連携しながら総合的に推進する必要性が述べられ、「新・文化庁」を構築することが喫緊の課題とされた。さらに、文化芸術の調査研究機

能の確保や国や地方における基本計画の策定の必要性についても指摘された。

　この答申で示された方向性はその後の文化庁改革の起点となる重要性を持つが、7月までに文化庁の京都への全面的な移転の進め方として文化庁内部で策定し、まち・ひと・しごと創生本部とも合意していた工程表（資料3-5参照）^(注11)を文化審議会として追認した形となっている。とりわけ文化庁の移転に関してはその審議過程において期待や懸念が示され、「本答申を基に、国において、新たな文化政策のニーズを踏まえ、国民的議論が行われ、**文化芸術振興基本法や文化庁の組織を定める法令**

（資料3-5）文化庁の京都への全面的な移転の進め方

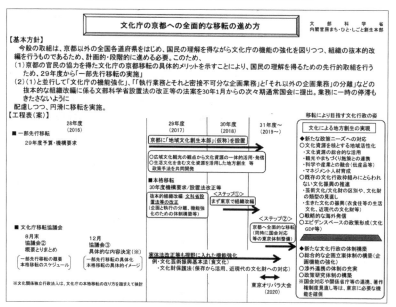

※「文化庁機能強化検討室」においては、平成28年夏迄に文化庁の機能強化も含む京都移転の工程表を作成した。

文化芸術立国の実現を加速する文化政策（答申） 概要
～「新・文化庁」を目指す機能強化と2020年以降への遺産（レガシー）創出に向けた緊急提言～

第1. 目指すべき姿

【文化庁のあるべき姿】

○ 文化庁は，果たすべき新たな使命として，①文化財や文化芸術の一層の活用と②文化芸術の枠組みを広げ新しい文化芸術創造を促進する。このため，文化政策を関連分野と緊密に連携しながら総合的に推進する。

○ 常に「現場第一」の原点に立ち，文化庁が国内外の様々な人々や組織・団体とつながり，社会の活性化，地方創生，国際交流にも貢献する。

○ オールジャパンの視点に立って，文化芸術各分野の担い手・現場との円滑なコミュニケーションの確保，地域の文化を掘り起こして魅力を高めていくプログラムの開発，文化政策の総合的推進という観点に十分配慮し，様々な政策を適所で複眼的,相乗的に行う。

【文化政策の目指すべき姿】

○ あらゆる人々や場面をつなぐ
    居住する地域，年齢，性別，国籍，言葉，障害の有無，経済状況等にかかわらず，子供から高齢者まであらゆる人々が文化芸術活動に参加できる社会を実現する。

○ 新しい文化の創造
    食文化などの生活文化，ポップカルチャー，科学技術や産業と結び付き日々生み出される文化も含め，新しい文化を創造する社会を目指すとともに，地域の文化芸術の魅力を高める。

○ 社会的・経済的価値等への波及による好循環の創出
    文化芸術資源が様々な分野とつながり，活用されることによって生まれた社会的・経済的価値等を，新たな文化芸術活動の振興へと還元するという好循環を創出する。

○ 世界水準の文化芸術の創造と世界への発信・交流
    海外への戦略的な発信と様々な文化関係者による国境を越えた交流・協働を育む。世界に誇れるトップクラスの文化芸術を創造する。

○ 文化芸術の担い手が継続的に活動できる環境整備
    芸術家や文化芸術団体，文化芸術に関係する技術者・技能者など，文化芸術の担い手の自立した活動に向けて，職業や産業として継続した活動を可能とする。

第2. 政策展開や2020年以降の遺産（レガシー）創出の方向性

1. 文化政策の対象を幅広く捉える

○ メディア芸術，ポップカルチャーなどの新しい文化芸術の萌芽について，有望な人材の発掘，創造や発表の場の確保に向けた支援を行うため，萌芽期から開花期までを中長期的に支援するなど取組を進める。

○ 情報通信技術を始め，AIやビッグデータ，IoT等，多様な科学技術の活用を進め，文化芸術の新たな可能性を拡大する。

○ 芸術作品から日用品という製造物，芸術家から職人という製作者など，芸術から関連する産業まで裾野の広がりを視野に入れた切れ目のない振興を図るため，当該分野において文化振興の観点に加え産業の振興の観点を踏まえた総合的な施策の推進を図る。

○ 我が国の文化を語る上で不可欠な，食文化など生活文化の一層の振興を図る。

○ 近代以降の文化財も含めて，国内の文化財の保存・活用や近現代の美術の振興に取り組む。

○ 地域に所在する文化財等を地域固有のストーリーも加味しつつ総合的な活用を図るとともに，日本文化の価値を国際的にも分かりやすく発信する。

2．文化活動の基盤を考える

○ 学齢期や青少年期のみならず，あらゆる世代において，<u>文化芸術教育や体験機会を充実</u>する。

○ 芸術家，地域の伝統芸能の継承者や文化芸術に関する技術者・技能者，アートマネジメント従事者等，<u>文化芸術活動に携わる人材の養成・確保</u>を図る。また，<u>文化ボランティア人材の育成及び確保</u>に向けた取組を一層進めるとともに，専門人材の文化芸術活動への参加を促進する。

○ バリアフリー化や作品解説の適切な多言語対応，夜間開館，ユニークベニュー，文化イベントや文化施設等の文化関連情報の発信等，<u>文化芸術へのアクセスを拡大</u>する。

○ <u>日本語教育の質の向上</u>に向け，国内で日本語教育を実施している機関及びその教育内容の質の向上や，日本語教育人材の養成・研修，日本語教育を通じた国外への日本文化の発信について，関係省庁と連携しながら取組を強化する。

○ <u>著作物等の適切な保護と利用の促進</u>に向け，技術の発達等を踏まえた制度整備，著作物の流通促進，著作権に関する普及啓発や海賊版など著作権侵害への対策，海外における著作権制度の整備に対する協力を推進する。

○ 必要な国・地方の予算の確保とあわせて，<u>文化芸術に係る多様な財源を確保</u>する。このため，寄附文化の醸成に向けた取組，文化芸術に係る税制の改善やその活用に向けた周知の推進など，<u>幅広く文化芸術が支援される方策を検討</u>し，民と官の多様な連携を深めるよう政策を立案し実施する。

3．文化政策の形成機能や推進体制を強化する

○ 様々な関連分野との連携強化により，<u>文化芸術資源の持つ潜在力を最大限に引き出す</u>ため，文化庁は，<u>政策を総合的に調整し推進していくための体制の整備</u>に努めるとともに，<u>関係省庁会議を設置</u>する。

○ 国，独立行政法人，地方公共団体，企業，芸術家等，文化芸術団体，文化ボランティア，文化施設等その他<u>関係者の連携・協力を進め</u>，創造から価値の創出に至るまでの切れ目ない支援に取り組む。<u>文化芸術の担い手が，幅広い企業や商店街，人々や地域と，これまで以上に結び付くための取組</u>を進める。

○ 文化芸術に関する国内外の情報や各種データの収集・分析，将来推計などの<u>調査研究等を継続的に行う機能・ネットワーク</u>が必要であるとともに，これらの結果を活用し，<u>エビデンスに基づいた政策立案機能を強化</u>する。

○ 国，地方を通じて，文化芸術の政策立案に係る<u>専門的人材を確保</u>する。また，地域のアーツカウンシル機能を強化する観点から，<u>地域の文化施策推進体制の整備</u>を促進する。さらに，国は全国的なネットワークの中心的機能を果たす。

○ 文化芸術の分野ごとの特性や対象国・地域の人々の興味・関心を見据えながら，<u>戦略的に国際文化交流・協力や日本文化発信を進める</u>。その際，芸術家やその世界的ネットワーク，<u>在外公館，文化施設，報道機関等と連携</u>して進める。

○ 文化芸術の担い手の自主性にはしっかりと配慮しつつ，効果的な施策の立案，実施，検証，施策への反映に一層取り組む観点から，国は<u>基本計画の策定</u>とし，全国の地方公共団体に対しても，基本計画の策定を促すことが適当である。

をはじめとした関係法令の見直しや、文化庁の機能強化、組織改編を進めていただきたい。本答申を踏まえた着実な文化政策の改善が実現されなければ、文化庁の移転が国の文化行政の弱体化を招き、将来の禍根（かこん）となることを危惧している」と答申で述べているように、移転の前提として文化行政の着実な改革を推進するよう国に対して釘を刺している。

　なお、この答申は、後述する文化芸術振興議員連盟の**文化芸術振興基本法**改正作業に当たって、文化庁から衆議院法制局に提案した改正素案の考え方の基礎となるものである。

第2項　文化芸術振興基本法の改正
（1）　文化芸術振興基本法改正の機運醸成

　文化芸術活動に対する支援については、文化政策の一環として文化庁の創設以前から文化庁が位置する東京において行われてきた。文化政策を適切に策定・実施する上では、日頃の文化芸術関係団体との対話が重要であることは言うまでもなく、その意味では、文化庁の京都移転はこの政策形成プロセスに少なからず影響が及ぶことが予想された。

　（公社）日本芸能実演家団体協議会（芸団協）は、平成13年の**文化芸術振興基本法**（以下「振興基本法」という。）の成立を支援した他の芸術団体とともに「文化芸術振興基本法推進フォーラム」（平成14年1月発足。平成15年4月より「文化芸術推進フォーラム」、以下「推進フォーラム」という。）を結成していた。推進フォーラムでは、「文化省」[注12]構想を掲げ、超党派の文化芸術振興議員連盟（以下「振興議連」という。）と連携していた。また、様々な芸術文化振興に関わる立法や施策の提言を行っており、民間の立場から広い意味での文化政策を立案し、議員連盟への働きかけを通じて文化政策を実現する政治的な力を有していた。しかし、推進フォーラムは京都を拠点とする団体も構成員とする全国的な組織であり、京都移転という文化庁の物理的な立地に関す

る政府の方針そのものについては、懸念を示したものの、その賛否について明確な立場を表明することはなかった。

移転基本方針決定後、平成28年4月5日には、振興議連の場に推進フォーラムの関係者が出席し、文化庁及びまち・ひと・しごと創生本部事務局から移転基本方針について説明する機会が設けられた。その席上、振興議連会長から文化行政は国際発信や観光も含めて広く考える必要があるため、移転に際しては「広い文化行政」を行う仕組みを作り、文化行政の拡大につなげていかなければならない旨の指摘があり、推進フォーラム議長からは「文化省構想と移転の話はどう絡むのか、文化行政の機能充実のためには文化省構想が必要だと改めて考えている」旨の発言があった。

このように、振興議連においては、新たな政策ニーズに対応するためには文化庁の機能強化や文化行政の拡大が必要と考えており、文化庁の機能強化の考え方と通底していた。すなわち、振興議連がその策定に関わった**振興基本法**に基づき作成された平成23年の第3次基本方針において「文化芸術は、……従来、教育、福祉、まちづくり、観光・産業等幅広い分野との関連性が意識されてきたところであるが、国家戦略として『文化芸術立国』を実現するためには、それら周辺領域への波及効果を視野に入れた文化芸術振興施策の展開がより一層求められる」と文化行政の拡大の必要性が述べられていたのである。したがって、後に**振興基本法**改正や**文部科学省設置法**改正によって実現することとなる文化庁の権限拡大について超党派で合意できる環境が既に存在していたものと言える。

しかしながら、文部科学省の組織法令をいきなり改正することは各省庁間の権限争いを惹起し困難を極めることは明らかであった。そこで、スポーツ庁創設時の方式（注13）を念頭に、まず、文化庁の機能強化等の必要性に関し、立法府における超党派の理解を得ることに努め、その流

れで**振興基本法**において文化の範囲を広く捉え、文化庁の機能強化につながる法律改正を要請し、改正法の附則において当該改正を行政機関として受け止めるための文化庁の機能強化を図るべきとする規定を設けるという段取りが検討された。

　一方、**振興基本法**については、和食文化がユネスコ無形文化遺産に登録されたことを背景として、食文化を文化芸術に明確に位置付けようとする機運が高まってきており、自由民主党の日本食文化普及推進議員連盟などから**振興基本法**に食文化を明記すべきとする陳情が行われていた。

　このように**振興基本法**の改正については、既に改正の火種があったと言えるが、これらをはじめとした文化芸術振興に関する国会での議論の高まりが、改正に向けた議論を後押ししたことがうかがえる。すなわち、障害者の芸術活動の支援という観点からは、平成25年8月の「障害者の芸術活動への支援を推進するための懇談会（中間とりまとめ）」を踏まえ、議員立法が検討されており[注14]、また、国際文化交流の推進の観点からは、平成24年8月に超党派による「文化のプラットフォームとしての日本」議員連盟が設立され、平成27年6月頃からは国際的な文化交流の祭典の実施等の推進に関する議員立法の動きが活発化してきた[注15]のである。

　以上のように、大きく文化庁の機能強化の文脈において見た場合、障害者芸術や国際文化交流の祭典に関する二つの議員立法に向けた議論は**振興基本法**見直しの議論の各論に位置付くものであり[注16]、国会内での**振興基本法**の改正機運の高まりとあいまってそれらの議員立法の動きも活発化した。

　そして、平成28年10月には、上記振興議連において**振興基本法**の見直しに向けた本格的[注17]な勉強会が立ち上がることとなる。

（2）　文化芸術振興議員連盟での議論

　振興基本法は、もともと昭和 52 年に結成された超党派の音楽議員連盟（平成 25 年に「文化芸術振興議員連盟」に名称変更）が、21 世紀を前に文化立国を国是とする「芸術文化基本法」（仮称）の創設を目指したことに端を発し、平成 13 年 12 月 7 日に公布・施行されたものである。この法律の目的は、文化芸術の振興に関する基本理念を定め、国と地方の責務を明らかにするとともに、文化芸術の振興に関する施策の基本となる事項を定めることにより、文化芸術活動を行う者の自主的な活動を促進し、文化芸術の振興に関する施策の総合的な推進を図ろうとするものである。

　しかし、制定から 15 年を経て、文化芸術は観光やまちづくりなどの分野でもその存在意義を増し、他の関連する行政分野における取組も含め、文化芸術振興施策の総合的な推進を図るためには、文化芸術の範囲を広く捉える必要が生じてきた。一方、2020 年にはオリンピック・パラリンピック競技大会の開催を控えており、文化プログラムの強力な推進を図るための機運醸成の起爆剤として、**振興基本法**を改正しようとする意図も働いていた。

　振興基本法の見直しに関する勉強会は、まず、和食文化を**振興基本法**に位置付けることを目指して平成 28 年 1 月より始まることとなるが、9 月に文化庁の機能強化等に向けて文化政策を強化すべき点について文化審議会に審議要請を行い、文化庁内に議員立法に対応する体制を整えて以降、議論は加速化する。

　振興議連の勉強会においては、文化芸術に関わる様々な議論、例えば**振興基本法**に食文化を追記すべきとする議論、後に立法化される**国際祭典推進法**の検討との関係をどう整理するかといった議論などについて、「五輪の年には文化省」を標榜して活動する推進フォーラムからの提言も交えながら様々な議論が交わされた。機能強化に関わる文化審議会で

の議論とも平仄を合わせて進める必要があることから、文化庁と振興議連との意思疎通を図りながら、平成 29 年通常国会での**振興基本法**改正案提出を目指して精力的に審議が進められた。

　とりわけ重要な改正事項としては、①他の文化芸術関連立法の動きを踏まえ、それらの大本を示すとして名称を「**文化芸術基本法**」としたこと、②文化政策を関連分野と緊密に連携しながら総合的に推進することが重要であることから、基本理念に、文化芸術により生み出される様々な価値を文化芸術の継承、発展及び創造に活用することが重要であることに鑑み、文化芸術の固有の意義と価値を尊重しつつ、観光、まちづくり、国際交流、福祉、教育、産業その他の各関連分野における施策との有機的な連携が図られるよう配慮されなければならない旨規定したこと（第 2 条第 10 項）、③文化芸術団体の役割を初めて規定したこと（第 5 条の 2）、④文化芸術に関する施策の総合的かつ計画的な推進を図るため、政府は関係府省の施策も含んだ「文化芸術推進基本計画」を定めるものとし、その案は文部科学大臣が作成するものとしたこと（第 7 条）、⑤地方公共団体に「地方文化芸術推進基本計画」策定の努力義務を課したこと（第 7 条の 2）、⑥国において文化芸術の振興に必要な調査研究等の施策を講ずるものとしたこと（第 29 条の 2）、⑦文化芸術推進基本計画の作成に係る連絡調整も含め、文化芸術に関する施策の総合的、一体的かつ効果的な推進を図るため文化芸術推進会議を設けることとしたこと（第 36 条）、⑧法律附則第 2 条において、文化芸術に関する施策を総合的に推進するため、文化庁の機能の拡充等について、その行政組織の在り方を含め検討を加え、その結果に基づいて必要な措置を講ずるものとされたことの 8 点が挙げられよう。

　①の法制的な意味については、従来の法律名「**文化芸術振興基本法**」には「振興」が入っており、文化芸術そのものの振興に過ぎなかったが、新法では、例えば文化芸術資源を活かした地方創生や新産業の創

出、芸術祭の開催等による戦略的な国際文化交流や海外発信などの施策は、文化芸術そのものの「振興」にとどまらない幅広い観点をもって進められるものであると同時に、新法においては文化芸術団体の役割を明記し、国や地方公共団体による文化芸術の「振興」にとどまらない内容を含むことから、従来の法律名から「振興」を削除したと説明されている[注18]。また、④の文化芸術推進基本計画の規定、⑦の文化芸術推進会議の規定及び⑧の附則第２条の規定は、その後の文化庁の任務や所掌事務を定める**文部科学省設置法**の改正に向けて大きな方向性を示すものとなった。

　なお、このたびの改正において、公共の建物等における文化芸術に関する作品の展示など、いわゆるパブリックアートに関して国の努力義務が謳われたこと（第28条第２項）は注目に値する。

（資料3-7）文化芸術振興基本法の一部を改正する法律概要

文化芸術振興基本法の一部を改正する法律概要

第一　趣旨
１．文化芸術の振興にとどまらず、観光、まちづくり、国際交流、福祉、教育、産業その他の各関連分野における施策を法律の範囲に取り込むこと
２．文化芸術により生み出される様々な価値を文化芸術の継承、発展及び創造に活用すること

第二　改正の概要
１．題名等
　法律の題名を「文化芸術基本法」に改めるとともに、前文及び目的について所要の整理を行う。
２．総則
　基本理念を改めるとともに、文化芸術団体の役割、関係者相互の連携

及び協働並びに税制上の措置を規定する。

> 〈基本理念の改正内容〉
> ①「年齢、障害の有無又は経済的な状況」にかかわらず等しく文化芸術の鑑賞等ができる環境の整備、②我が国及び「世界」において文化芸術活動が活発に行われる環境を醸成、③児童生徒等に対する文化芸術に関する教育の重要性、④観光、まちづくり、国際交流などの各関連分野における施策との有機的な連携

3．文化芸術推進基本計画等

　　政府が定める「文化芸術推進基本計画」、地方公共団体が定める「地方文化芸術推進基本計画」（努力義務）について規定する。

4．基本的施策

①　芸術、メディア芸術、伝統芸能、芸能の振興について、伝統芸能の例示に「組踊」を追加するとともに、必要な施策の例示に「物品の保存」、「展示」、「知識及び技能の継承」、「芸術祭の開催」などへの支援を追加。

②　生活文化の例示に「食文化」を追加するとともに、生活文化の振興を図る。

③　各地域の文化芸術の振興を通じた地域の振興を図ることとし、必要な施策の例示に「芸術祭への支援」を追加。

④　国際的な交流等の推進に関する必要な施策の例示に「海外における我が国の文化芸術の現地の言語による展示、公開その他の普及への支援」及び「文化芸術に関する国際機関等の業務に従事する人材の養成及び派遣」を追加。

⑤　芸術家等の養成及び確保に関する必要な施策の例示に国内外における「教育訓練等の人材育成への支援」を追加。

など

5．文化芸術の推進に係る体制の整備

　　政府の文化芸術推進会議、地方公共団体の文化芸術推進会議等について規定する。

第三　その他
　　文化芸術に関する施策を総合的に推進するため、文化庁の機能の拡充等について、その行政組織の在り方等を含め検討を加え、必要な措置を講ずる。

（平成 29 年 6 月 23 日公布・施行）

（3） 国会の審議状況

　振興基本法の改正案については超党派の振興議連での審議を経る過程でそれぞれ各党に持ち帰り了解を得ていたため、与野党一致であった。しかし、議員立法の院内手続きとしては、内容に賛成しつつも質疑を求める政党があったことから、委員長提案とならず、委員による起草案の発議となった。そして、衆議院文部科学委員会の委員会提出法律案として委員長から衆議院本会議に法律案が提出され採決。その後同法案は参議院に送られ、文教科学委員会に付託された後、平成 29 年 6 月 16 日に参議院本会議において全会一致で成立した。

（4） 文化芸術推進基本計画

　文化芸術基本法においては、政府は、文化芸術に関する施策の総合的かつ計画的な推進を図るため、文化芸術に関する施策に関する基本的な計画を定めなければならないとする（第 7 条第 1 項）。また、文部科学大臣は文化審議会の意見を聴いて、関係府省の施策も含んだ「文化芸術推進基本計画」の案を作成し、関係各府省の局長級からなる「文化芸術推進会議」における連絡調整を経て定めることとされている（第 7 条第 3、4 項）。このことは、少なくとも計画策定においては、文化庁が文化行政の総合的推進を図る中心的役割を担い、この計画策定の過程において文化庁として各省庁の文化関連予算の内容を把握する初めてのケースとなった。それまでは、振興議連や与党の会議において各府省の文化関連予算の聴取が行われており、文化庁はその場に出席して他省庁の状況を知り得るに過ぎなかったからである。

　この基本計画が改正前の振興基本法に基づく基本方針と異なる点は大きく 2 つある。一つ目は、名称が示す通り計画的な推進である。基本計画は基本方針同様概ね 5 年間の期間を念頭に置くものであるが、基本計画においてはその着実な推進を図るため、指標に基づく評価・検証サイ

クルを確立している。二つ目は関係府省の文化芸術に関する施策を盛り込んでいる点である。他府省の施策も含めた総合的な文化政策を進めることは、昭和55年の「文化の時代研究グループ報告書」で指摘されて以来の課題であり、改正法に基づき関係府省を交えた文化芸術推進会議において連絡調整を図ることとされた。

　第1期の基本計画策定に向けては、改正法の成立直後、文部科学大臣から文化審議会に対し文化芸術に関する施策の総合的かつ計画的な推進を図るための基本的な在り方について諮問がなされ、文化審議会においては文化政策部会の下に新たに設置された基本計画ワーキング・グループを中心に他の分科会の下に設置された個別ワーキング・グループも巻き込んで検討が進められた。検討の過程では文化芸術団体や関係府省の関連事業についてヒアリングが実施され、文化芸術推進会議での検討を経て、平成30年〜平成34年（令和4年）の5か年の計画として平成30年3月に閣議決定された。これにより、平成27年5月に閣議決定された改正前の**振興基本法**に基づく第4次基本方針の内容は、新たな文化芸術推進基本計画によって事実上上書きされたことになる。

　基本計画（第1期）においては、少子高齢化・グローバル化・情報通信技術の急速な進展等の社会状況の変化や2020東京オリンピック・パラリンピック競技大会の開催といった文化芸術を取り巻く状況変化が基本計画策定の背景にあるとする。その上で、文化芸術立国の実現に向け、文化芸術の「多様な価値」、すなわち文化芸術の本質的価値及び社会的・経済的価値を、**文化芸術基本法**第2条第10項に新たに掲げられた基本理念にあるように、文化芸術の継承、発展及び創造に「活用・好循環」させるとし、今後の文化芸術政策の目指すべき姿として①文化芸術の創造・発展・継承と教育、②創造的で活力ある社会、③心豊かで多様性のある社会、④地域の文化芸術を推進するプラットフォームの4つの目標が掲げられた。そして、その実現を目指して、今後5年間の文化芸術政

策の基本的な方向性として6つの戦略を定め、国家戦略としての文化芸術政策を強力に推し進めるとしている。また、今後5年間に講ずべき文化芸術に関する基本的な施策を戦略ごとに列挙している。

（資料3-8）文化芸術推進基本計画（第1期）の概要

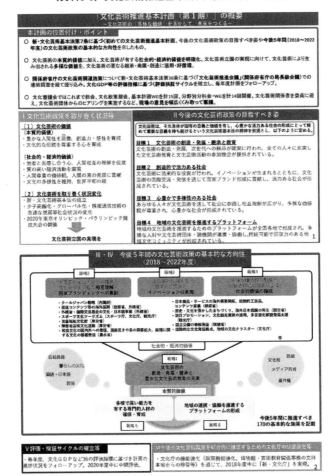

第3項　文化庁の抜本的組織見直し

（1）　文化経済戦略特別チームの創設

　文化庁の機能強化に向けた取組には、**文化芸術基本法**やそれに基づく**文部科学省設置法**等の組織法令の改正を伴う機構改革や定員増によって行政運営を変革していく取組の他に、文化経済の視点に立った文化行政の推進に向けた文化経済戦略特別チーム（平成29年3月1日発足）の取組がある。

　政府におけるチームの位置付けは、オリ・パラをはじめ、まち・ひと・しごとや観光等、内閣官房や各府省等が行う文化関連施策を横断的に取扱い統合強化した上で、経済拡大戦略のためのプランを策定していくためのものとされ、チームの構成員は、内閣官房、財務省、経済産業省、国土交通省等の関係省庁や民間からも参画し、参画する文化庁職員は内閣官房へ併任発令がなされた。

　このチームは組織上内閣官房に置かれたが、文化庁庁舎内に部屋が設えられ、文化庁との密接な連携が期待されていた。すなわち、文化芸術を社会経済との関係において捉える文化経済学の視点に立ち、国民的財産である文化財（**文化財保護法**第4条第2項）を含めた文化芸術が社会的財産である（第1次基本方針）がゆえにその効用面に着目した取組が求められたのである。

　文化芸術資源の活用については、これまでも経済活性化に資するものと捉えられており、政府の経済戦略「新成長戦略〜「元気な日本」復活のシナリオ〜」（平成22年6月閣議決定）においては「我が国独自の文化財・伝統芸能等の文化遺産の活用は、地域活性化や雇用機会の増大の切り札」と述べ、より具体的に文化財の活用の重要性を指摘していた。さらに、文化財の活用が経済戦略とりわけ観光戦略との関係において強く打ち出されることとなるのは、平成28年6月2日に閣議決定された「ニッポン一億総活躍プラン」においてである。

同日に閣議決定された経済戦略「日本再興戦略2016」においては、GDP600兆円を目指す中で新たな有望成長市場を創出するとして、文化の成長産業化が謳われている。また、文化GDP^(注19)という言葉も現れ、「文化財で稼ぐ」仕組みへの転換を図るとされたが、この内容は観光政策として既に発表されていた「明日の日本を支える観光ビジョン」（平成28年3月30日　明日の日本を支える観光ビジョン構想会議決定）の内容を引き写したものである。また、文化財に限らず、芸術文化資源についても、活用し、利益を創出する新たな社会モデルの形成を推進するとされた。

　さらに翌年の「経済財政運営と改革の基本方針2017」（平成29年6月9日閣議決定）においては、「『文化経済戦略（仮称)』を策定し稼ぐ文化への展開を推進するとともに、政策の総合的推進など新たな政策ニーズ対応のための文化庁の機能強化等を図る。……文化による国家ブランド戦略の構築と文化産業の経済規模（文化GDP）の拡大に向け取組を推進する」とされ、経済戦略の中で「稼ぐ文化」という文言は定着していった。このように、**文化芸術基本法**の改正のタイミング（同年6月16日）前後で、いわゆる骨太の方針と言われる政府全体の経済戦略に文化政策が組み込まれていったのである。

　ここでいう文化経済戦略（仮称）は、省庁横断の組織である文化経済戦略特別チームにより策定され、内閣官房と文化庁のクレジットにより「文化経済戦略」として同年12月27日に発表された。その中で「我が国の文化芸術を未来に継承・発展させていくためには、……創出された価値が、新たな文化の創造や、文化芸術分野での人づくり、文化のための基盤の充実に効果的に再投資され、さらなる価値を創出し、自律的・持続的に発展していくメカニズムを構築する必要がある」と述べ、**文化芸術基本法**に規定された新たな理念（第2条第10項）を踏まえている。この後、この文化経済戦略の内容は、**基本法**に基づき後に策定される文

化芸術推進基本計画（平成 30 年 3 月 6 日閣議決定）に組み込まれていくこととなる[注20]。

（資料3-9）ニッポン一億総活躍プラン（抄）

ニッポン一億総活躍プラン

平成 28 年 6 月 2 日
閣議決定

5．「戦後最大の名目GDP600 兆円」に向けた取組の方向
（10）観光先進国の実現
「明日の日本を支える観光ビジョン」19 等に基づき、訪日外国人旅行者数を平成 32 年（2020 年）4,000 万人・平成 42 年（2030 年）6,000万人、訪日外国人旅行消費額を平成 32 年（2020 年）8兆円・平成 42年（2030 年）15 兆円とすること等の目標の達成に向かって、政府一丸、官民を挙げて、観光先進国の実現に向けた取組を総合的・戦略的に実施する。これにより、裾野が広い観光を「一億総活躍の場」とすることが可能である。
　具体的には、観光資源の魅力を極め、地方創生の礎にするため、魅力ある公的施設の開放、国立公園や農山漁村など景観の優れた観光資源や文化資源の保全・活用等を行う。
　また、観光産業を革新し、国際競争力を高め、我が国の基幹産業にするため、観光関係の規制・制度の見直し、観光経営人材等の育成、世界水準のDMO20 の形成・育成、欧米豪や富裕層等へのプロモーションの強化、ビザの戦略的緩和等を実施する。
　さらに、企業における労使一体での年次有給休暇の取得向上や休暇取得の分散化等の休暇改革の推進、最先端技術を活用した出入国審査等の促進、通信・交通利用環境の向上、各地の観光地や交通機関におけるユニバーサルデザイン化の推進等により、すべての旅行者がストレスなく快適に観光を満喫できる環境の整備を進める。
6．10年先の未来を見据えたロードマップ
　希望を生み出す強い経済（GDP600 兆円の実現）
　　⑪新たな有望成長市場の創出（スポーツ・文化の成長産業化）

日本再興戦略２０１６
―第４次産業革命に向けて―

平成２８年６月２日

第２　具体的施策

I　新たな有望成長市場の創出、ローカルアベノミクスの深化等

４．観光立国の実現

（２）新たに講ずべき具体的施策

ⅰ）観光資源の魅力を極め、地方創生の礎に

　③文化財の観光資源としての活用推進

　・従来の「保存を優先とする支援」から「地域の文化財を一体的に活用
　　する取組への支援」に転換を図るため、「文化財活用・理解促進戦略
　　プログラム２０２０」に基づき、文化財単体ではなく地域の文化財を一
　　体とした面的整　備や分かりやすい多言語解説などの取組について、
　　２０２０年までに１０００事業程度実施し、日本遺産をはじめ、文化財
　　を中核とする観光拠点を全国２００拠点程度整備する。

５．スポーツ・文化の成長産業化

５－２．文化芸術資源を活用した経済活性化

（１）KPIの主な進捗状況

《KPI》２０２５年までに、文化GDPを１８兆円（GDP比３％程度）に
　　　　拡大することを目指す。
　　　　※今回、新たに設定するKPI

《KPI》２０２０年までに、鑑賞活動をする者の割合が約８０％まで上昇、
　　　　鑑賞以外の文化芸術活動をする者の割合が約４０％まで増加する
　　　　ことを目指す。
　　　　※今回、新たに設定するKPI

（２）新たに講ずべき具体的施策

　我が国には、長い歴史に裏打ちされた、伝統文化・芸能から、マンガ、
アニメ、ゲームまで、多種多様で、しかも世界に類を見ない文化芸術資源
が豊富に存在している。こうした資源を最大限に活用することに加え、文
化行政に期待される新たな政策ニーズへの対応に必要な機能強化を図り、
これまでの文化政策の枠組みや政策手法にとらわれない、分野を越えた取

組や産学官連携等により一層取り組む。また、芸術家等の海外派遣や受入れ等による国際文化交流を通じた文化外交をはじめ国内外への効果的発信による日本ブランドの向上を図ること等により、文化芸術資源をもとにした経済波及効果を拡大する。

　ⅰ）文化芸術産業及び経済波及効果の拡大
　　文化財や伝統芸能、芸術文化のみならず、食、教育、文書・音声・映像・ゲームソフトなどのコンテンツ、デザインなども含めて幅広く文化として捉え、その経済波及効果の拡大を図る。このため、文化庁を中心に、国内外の成功事例の分析等を進め、本年度中に政策ロードマップを策定し、施策の具体化を図る。
　ⅱ）文化財・文化資源のコストセンターからプロフィットセンターへの
　　　転換
　　「文化財活用・理解促進戦略プログラム 2020」を策定し、以下の取組により、「文化財で稼ぐ」仕組みへの転換を図る。
　　・文化財解説の多言語化等を通じた、我が国の文化・歴史を体現する
　　　文化財の価値・魅力の分かりやすく効果的な発信
　　・文化財の適切なサイクルによる修理、建造物等の美装化等により、
　　　観光客を魅了する環境充実
　　・日本遺産をはじめ、文化財を中核とする多様な「稼ぎ方」を可能と
　　　する観光拠点を 2020 年までに全国 200 拠点程度整備
　　・文化財の収益力向上につながる地方自治体等が行うマーケティング
　　　やマネジメントの推進
　　・学芸員や文化財保護担当者等に対する文化財を活用した観光振興に
　　　関する講座の新設等による博物館の機能強化、質の高い Heritage
　　　Manager 等の養成と配置　　等
　　また、文化施設について、収益力向上を図る観点から、施設の多機能化や公共施設等運営権方式を含め、先進事例の調査・分析を行うとともに、案件形成に向けた PPP/PFI の活用等を推進する。
　ⅲ）地域活性化やブランド力向上に資する芸術文化の魅力創造と発信
　　・産学官（館）連携により、持続的な地域経済の発展が可能となる拠
　　　点形成や、活動を支えるプロデューサー人材等の創出・育成に取り
　　　組み、文化資源を活用し、利益を創出する新たな社会モデルの形成
　　　を推進する。
　　・文化芸術資源を掘り起こし、地域活性化へつなげる「文化プログラム」

の全国展開（2020年までに20万イベント）の推進や、文化プログラムに関する文化芸術情報の国内外への発信等に取り組む。その際、2020年東京オリンピック・パラリンピック競技大会後を見据え、「beyond 2020プログラム」を推進し、全国でレガシー創出に資する我が国の文化向上に取り組む。

・障害者や高齢者、親子等、広く国民の文化芸術活動への参加を促進し、地域における潜在的顧客・担い手開拓及びビジネス創出につながる先行優良事例の調査・分析及び横展開を進め、全国規模でのワークショップ等の実施に向けた取組の加速化を図る。

iv）文化に密接に関連する分野への投資による波及効果の発現

①コンテンツを軸とした、新たな技術・手法を用いた文化発信・市場拡大戦略

・IoT技術の開発・普及により、コンテンツ提供シーンが拡大し、新市場の創出が見込まれる。コンテンツ技術マップに基づき、技術開発を促進し、クールジャパン戦略の推進にも資するコンテンツ産業の更なる活性化と新たな産業の創出を促進する。特に、バーチャルリアリティ（VR）など成長が見込まれる分野における協調領域での研究開発や制度整備等を実施する。

・コンテンツ産業と観光業・製造業等の異分野連携を通じた効果的な地域の魅力発信・広域展開や有望な地域クリエイターの育成を支援するとともに、コンテンツの新たな海外市場開拓のため、権利情報の集約化や字幕・吹き替え等の現地化等の支援、国際連携強化により、コンテンツの利用促進に取り組む。

・世界に誇るマンガ・アニメ・ゲーム等のメディア芸術分野における実践的活動（OJT）を通じたクリエイターやプロデューサー等の人材育成、メディア芸術分野のアーカイブ化、海外発信を推進する。

経済財政運営と改革の基本方針2017について

平成 29 年 6 月 9 日
閣議決定

第2章 成長と分配の好循環の拡大と中長期の発展に向けた重点課題
２．成長戦略の加速等
（5）新たな有望成長市場の創出・拡大
① 文化芸術立国
　「文化経済戦略（仮称）」を策定し稼ぐ文化への展開を推進するとともに、政策の総合的推進など新たな政策ニーズ対応のための文化庁の機能強化等を図る。2020 年までを文化政策推進重点期間として位置付け、文化による国家ブランド戦略の構築と文化産業の経済規模（文化 GDP）の拡大に向け取組を推進する。文化芸術活動に対する効果的な支援や子供の体験・学習機会の確保、人材の育成、障害者の文化芸術活動の推進、文化プログラムやジャポニスム 2018[1]等の機会を捉えた魅力ある日本文化の発信を進めるとともに、国立文化施設の機能強化、文化財公開・活用に係るセンター機能の整備等による文化財の保存・活用・継承、デジタルアーカイブの構築を図る。
　また、我が国の誇るマンガ、アニメ及びゲーム等のメディア芸術の情報拠点等の整備を進める。
　明治 150 年関連施策[2]を推進するとともに、国立公文書館について、展示等の機能の充実に向けて、既存施設との役割分担を図りつつ新たな施設の建設に向けた取組を推進する。
1　日仏友好160周年に当たる2018年、パリを中心に、歌舞伎、能・狂言、雅楽等伝統文化から、現代演劇・美術やマンガ・アニメ展、日本映画等の上映等まで、官民連携で大規模な日本文化紹介行事を実施。
2　平成30年（2018年）が明治元年（1868年）から起算して満150年に当たり、明治以降の歩みを次世代に遺す等を目的とした各種施策を推進することとしている。

（6）海外の成長市場との連携強化
② 戦略的な輸出・観光促進
　「安全」・「安心」・「高品質」などの日本に対する評価を「日本ブランド化」

するとともに、国内外の拠点も活用し、食、映画、コンテンツ、文化等の日本固有の魅力の創造・発信・展開などクールジャパン戦略を推進し、輸出・観光を促進する。（略）

　観光を我が国の基幹産業へと成長させるため、ナイトエンターテインメント、伝統芸能等の外国人向けコンテンツの開発や受入体制の整備などによる新しい観光資源の開拓、国別戦略に基づくプロモーションの高度化、重要な国際学術会議などのMICE[3]誘致、ビザの戦略的緩和と審査体制の整備等を推進する。また、羽田空港の飛行経路見直しやコンセッション等による空港の機能強化、官民連携による国際クルーズ拠点の形成、革新的な出入国審査などのCIQ[4]の計画的な物的・人的体制整備、上質な宿泊施設の拡充の促進、多様な民泊サービスの健全な普及を図る。さらに、通訳ガイドの質・量の充実、旅行商品の企画・手配を行うランドオペレーターの登録制度の導入、外国人患者受入れ体制やキャッシュレス環境の整備、観光地周辺の公共交通の充実や多言語対応等を推進する。（略）

3　企業会議（Meeting）、企業の報奨・研修旅行（Incentive）、国際会議（Convention）、展示会・イベント（Exhibition/Event）の総称。
4　税関（Customs）、出入国管理（Immigration）、検疫（Quarantine）を包括した略称。

3．消費の活性化
（2）新しい需要の喚起
② 観光・旅行消費の活性化

　2020年（平成32年）に訪日外国人旅行者数を4000万人、消費額を8兆円とし、日本人国内旅行消費額を21兆円とする目標[5]の達成等により観光先進国を目指すこととし、政府一丸、官民を挙げて、推進体制を強化し、その早期実現に向けて取り組む[6]。

　このため、公的施設の魅力向上と更なる開放を進めるとともに、古民家等を活用したまちづくりを進める。また、国立公園、日本遺産をはじめとする文化財等の景観の優れた観光資源を保全・活用し、着地型旅行商品の造成促進、広域観光周遊ルートの形成促進、地方空港へのLCC[7]等の就航促進、高速交通網の活用による「地方創生回廊」の完備、自転車利用環境の創出等により地方への誘客につなげる。また、観光地域づくりの舵取り役を担う法人（DMO[8]）の形成、官民ファンドの活用による観光地の再生・活性化、宿泊業の生産性向上、観光経営人材育成等により観光産業の革新を図る。（略）

③ 2020年東京オリンピック・パラリンピック競技大会等の開催に向けた取組

　2020年東京オリンピック・パラリンピック競技大会やラグビーワールドカップ2019は、日本全体の祭典であり、日本を再興し、レガシーの創出と、日本が持つ力を世界に発信する最高の機会である。その開催に向け、先端技術の利活用を含めた関連情報の収集・分析の強化などセキュリティ・安全安心の確保、円滑な輸送、暑さ・環境への配慮等大会の円滑な準備を進める[9]。また、「復興五輪」の実現、ホストタウンによる地域活性化や国際交流の推進とともに、ボランティア人材の育成・普及、beyond2020プログラム[10]等を通じた日本文化の魅力発信、深層学習[11]による自動翻訳システムの開発・普及、共生社会の実現[12]など大会を通じた新しい日本の創造に関する取組を政府一丸となって、地方自治体・民間企業等と連携しながら進める。関連する施設整備については、必要性、手法等を精査し、計画的な対応を推進する。（略）

5　「観光立国推進基本計画」（平成29年3月28日閣議決定）及び「明日の日本を支える観光ビジョン」（平成28年3月30日明日の日本を支える観光ビジョン構想会議決定）による。

6　「観光ビジョン実現プログラム2017」（平成29年5月30日観光立国推進閣僚会議決定）に基づく。

7　Low Cost Carrier：低コストかつ高頻度の運航を行うことで低運賃の航空サービスを提供する航空会社。

8　Destination Management/Marketing Organizationの略。

9　「2020年東京オリンピック競技大会・東京パラリンピック競技大会の準備及び運営に関する施策の推進を図るための基本方針」（平成27年11月27日閣議決定）等に基づく。

10　「2020年オリンピック・パラリンピック競技大会に向けた文化を通じた機運醸成策に関する関係府省連絡・調整会議」において決定（平成28年3月2日）し実施。2020年以降を見据え、多様な団体が実施する共生社会・国際化につながるレガシーを創出する活動等について認証し、そうした取組を広く支援する。

11　多層構造の人工神経回路網を用いたコンピュータによる学習。

12　「ユニバーサルデザイン2020行動計画」（平成29年2月20日ユニバーサルデザイン2020関係閣僚会議決定）等に基づく。

（2）　文部科学省設置法の改正と文化庁の機構改革

　平成29年6月に成立した**文化芸術振興基本法**の一部を改正する法律
附則第2条には「政府は、文化芸術に関する施策を総合的に推進するた
め、文化庁の機能の拡充等について、その行政組織の在り方を含め検討
を加え、その結果に基づいて必要な措置を講ずるものとする。」とされ
ており、文化庁においては、文化庁の機能拡充の内容として主に3つの
柱を盛り込んだ**文部科学省設置法**の改正に取り組むこととなる。

　1つ目の柱は、**文化芸術基本法**により文化行政の対象領域が拡大した
こととあいまって、文部科学省及び文化庁の任務について、文化の振興
に加え、文化に関する施策の総合的な推進を位置付ける（第3条第1項、
第18条）とともに、所掌事務に①文化に関する基本的な政策の企画及
び立案並びに推進に関すること、②文化に関する関係行政機関の事務の
調整に関することを追記し、文化庁が中核となって我が国の文化行政を
総合的に推進していく体制を整備することとした（第4条第1項第77
号、同第78号、第19条）。

　2つ目の柱は、芸術に関する教育に係る事務を文部科学省本省から文
化庁に移管することにより、芸術に関する国民の資質向上について、学
校教育における人材育成からトップレベルの芸術家の育成までの一体的
な施策の展開を図ることとした。すなわち、文化庁では、文化芸術によ
る子どもの育成事業などを通じ、学校において優れた芸術に接する機会
を確保する取組を行ってきたが、文化庁の持つ文化芸術に関する知見や
芸術関係者とのネットワークのさらなる活用が期待されたのである。ま
た、学校教育の教育課程に関しては、小学校の「音楽」「図画工作」、中
学校の「音楽」「美術」、高等学校の「芸術（音楽・美術・工芸・書道）」
等に関する基準の設定に関する事務を文化庁に移管することとした（第
19条）。なお、学習指導要領における芸術教育関連部分については、他
教科も含めた学習指導要領全体の一体的な議論・検討を行う必要がある

ことから、文化審議会ではなく中央教育審議会において議論することとなり、教育課程全体の一体性確保の観点から引き続き文部科学省初等中等教育局が総合調整を図ることとしている。

さらに3つ目の柱として、これまで一部を文部科学省本省で所管していた博物館に関する事務を、文化庁が一括して所管することにより、博物館の更なる振興と行政の効率化を図ることとした（第18条、第19条）。すなわち、**博物館法**も含めた博物館全般の事務は本省で所掌していたが、博物館のうちの大部分を占める^(注21)美術館と歴史博物館についてはこれまで文化庁が所掌しており、法律の所掌も含め博物館に関する行政を一体的に推進する体制を文化庁において整備することとしたのである。これにより、社会教育施設としての博物館（文化施設としての美術館及び歴史博物館のほか、水族館、動物園及び科学博物館等も含む）に関する事務全般を文化庁で所管することとなる。

文部科学省設置法の改正案は、平成30年の通常国会に提出され6月8日に可決成立。15日には公布され10月1日から施行された。政府は、この法律案提出に当たっては当初より、文化庁の京都への全面移転に向け、「新・文化庁」にふさわしい組織改革・機能強化を図るための法案であると説明していたため、国会では文化庁の京都移転についても議論が深められることとなった^(注22)。そして、衆・参両委員会の附帯決議において「文化庁が京都への本格移転に向け、予定しているその効果及び影響の検証結果については、文化庁の京都移転が、政府関係機関の地方への移転の先行事例であることを踏まえ、適宜国会へ報告すること」（附帯決議6）とされた。

改正**文部科学省設置法**の施行と同時に、文化庁の組織体制は大きく再編された。京都移転に伴い組織体制が京都と東京に分かれることを前提とした組織体制に組み替えられたのである。この組織改革のポイントは、事務方の責任者である次長を京都と東京に1人ずつ置くことや、文

化庁創設以来続いていた芸術文化担当と文化財保護担当の2部体制を廃止し、より柔軟な業務分担が可能な総括整理職として審議官2名を置くこととしたことなどであるが、東京から離れることについて懸念が示されていた著作権や芸術文化の担当課などは東京に置くものとして整理された。とりわけ2部体制については、新しい文化と伝統的な文化の両者を分ける縦割りの象徴的体制であったことから、これを廃止することにより、縦割り脱却の強いメッセージが発せられることとなった。

また、「新・文化庁の組織体制の整備と本格移転に向けて」（第4回移転協議会　平成29年7月25日）においては、国家行政組織としての文化庁の課題として、文化芸術概念の拡張への対応と、資源としての活用策が不十分であることを挙げており、この組織改革により、食文化をはじめ生活文化など新たな領域への積極的な対応や、地域振興やまちづくり、観光などの政策課題への柔軟かつ機動的な取組が可能となり、全国各地の文化や文化財など文化芸術資源の活用が一層促進されるものと期待された。

（資料3-12）文部科学省設置法の一部を改正する法律の概要

文部科学省設置法の一部を改正する法律の概要

　京都への全面的な移転に向け、新・文化庁にふさわしい組織改革・機能強化を図り、文化に関する施策を総合的に推進する。

※　文化芸術振興基本法の一部を改正する法律（平成29年法律第73号）附則第２条に規定された検討の結果に基づく措置

（文化芸術に関する施策を総合的に推進するための文化庁の機能の拡充等の検討）

第二条　政府は、文化芸術に関する施策を総合的に推進するため、文化庁の機能の拡充等について、その行政組織の在り方を含め検討を加え、その結果に基づいて必要な措置を講ずるものとする。

概要

１．文部科学省及び文化庁の任務について、文化の振興に加え、文化に関する施策の総合的な推進を位置付ける。

　　また、その所掌事務に、

　　①文化に関する基本的な政策の企画及び立案並びに推進に関すること

　　②文化に関する関係行政機関の事務の調整に関すること

　　を追記し、文化庁が中核となって我が国の文化行政を総合的に推進していく体制を整備する。

２．芸術に関する教育に関する事務を文部科学省本省から文化庁に移管することにより、芸術に関する国民の資質向上について、学校教育における人材育成からトップレベルの芸術家の育成までの一体的な施策の展開を図る。

※　小学校の「音楽」「図画工作」、中学校の「音楽」「美術」、高等学校の「芸術（音楽・美術・工芸・書道）」等に関する基準の設定に関する事務を文化庁に移管する。

３．これまで一部を文部科学省本省が所管していた博物館に関する事務を、文化庁が一括して所管することにより、博物館の更なる振興と行政の効率化を図る。

※　社会教育施設としての博物館（文化施設としての美術館及び歴史博物館のほか、水族館、動物園及び科学博物館等も含む）に関する事務全般を文化庁で所管することとする。

４．その他、文化審議会の調査審議事項など、上記１．～３．の任務・所掌事務の追加を踏まえた見直しを行う。

施行期日　平成30年10月１日

（資料3-13）文化庁の機能強化の検討に関する経緯

平成26年	12月	「まち・ひと・しごと創生総合戦略」（閣議決定）
平成27年	3月	道府県等に対し「政府関係機関の地方移転」の提案募集が行われ，京都府から文化庁の移転の提案提出 （その他中央省庁の移転要望：消費者庁〈徳島県〉，総務省統計局〈和歌山県〉，特許庁〈大阪府，長野県〉，中小企業庁〈大阪府〉，観光庁〈北海道，兵庫県〉，気象庁〈三重県〉）
平成28年	1月	文化庁京都誘致協議会より，「日本の為 文化庁を京都へ」要望
平成28年	3月	「政府関係機関移転基本方針」（まち・ひと・しごと創生本部決定） 【抜粋】 　外交関係や国会対応の業務，政策の企画立案業務（関係省庁との調整等）の事務についても現在と同等以上の機能が発揮できることを前提とした上で，地方創生や文化財の活用など，文化庁に期待される新たな政策ニーズ等への対応を含め，文化庁の機能強化を図りつつ，全面的に移転する。 　このため，抜本的な組織見直し・東京での事務体制の構築や移転時期，移転費用・移転後の経常的経費への対応などを検討するための「文化庁移転協議会（仮称）」を文部科学省と内閣官房，関係省庁の協力の下，政府内に設置する。ICTの活用等による実証実験を行いつつ，8月末をめどに移転に係る組織体制等の概要をとりまとめ，年内をめどに具体的な内容を決定し，数年の内に京都に移転する。
平成28年	4月	「文化庁移転協議会」設置 構成員：内閣官房まち・ひと・しごと創生本部事務局，文部科学省，文化庁，京都府，京都市 オブザーバー：内閣人事局，財務省
平成28年	6月	「まち・ひと・しごと創生基本方針2016」（閣議決定） 【抜粋】 中央省庁の移転については，移転先の地域を含め我が国の地方創生に資するかどうかという地方創生の視点と，国の機関としての機能確保の視点，地方移転によって過度な費用の増大や組織肥大化にならないかという移転費用等の視点を踏まえつつ，移転基本方針に沿って取組を進める必要がある。 ※文化庁の移転については，上記「政府関係機関移転基本方針」と同内容
平成28年	8月	「文化庁の移転の概要について」（文化庁移転協議会） 文化庁の機能強化の大枠や，移転の進め方の全体的な工程について取りまとめ
平成28年	11月	「文化芸術立国の実現を加速する文化政策～『新・文化庁』を目指す機能強化と2020年以降の遺産（レガシー）創出に向けた緊急提言～（答申）」 【要旨】 ・文化政策の対象を幅広く捉える ・文化活動の基盤を整える ・文化政策の形成機能・推進体制の強化 　（様々な関連分野との連携による文化政策の総合推進体制の整備、文化芸術政策の効果的な立案・実施・検証の観点からの基本計画の策定など）
平成28年	12月	「文化庁の移転について」（文化庁移転協議会） 「地域文化創生本部」の具体的な内容や本格移転先の候補等について取りまとめ

平成29年	3月	文化経済戦略特別チーム創設
平成29年	4月	「文化庁地域文化創生本部」（先行移転）の設置
平成29年	6月	「まち・ひと・しごと創生基本方針2017」（閣議決定）

【抜粋】
　文化庁については，地域の文化資源を活用した観光振興や地方創生の拡充に向けた対応の強化，我が国の文化の国際発信力の向上，食文化など生活文化の振興，科学技術を活用した新文化創造や文化政策調査研究など，<u>文化庁に期待される新たな政策ニーズ等に対応できるよう機能強化を図りつつ，京都に全面的に移転する。</u>
　まず，平成29年4月に京都に設置した文化庁地域文化創生本部において，新たな政策ニーズに対応した事業について，地元の知見等を活かしながら移転の先行的取組を実施する。こうした先行的取組と並行して，文化庁移転協議会における検討を経て，平成29年8月末を目途に本格移転の庁舎の場所を決定する。また，<u>文化庁の機能強化及び抜本的な組織改編を検討し，これに係る文部科学省設置法（平成11年法律第96号）の改正案等を平成30年1月からの通常国会を目途に提出する</u>など，全面的な移転を計画的・段階的に進めていく。

「経済財政運営と改革の基本方針2017〜人材への投資を通じた生産性向上〜」（閣議決定）

【抜粋】
　「文化経済戦略(仮称)」を策定し稼ぐ文化への展開を推進するとともに，<u>政策の総合的推進など新たな政策ニーズ対応のための文化庁の機能強化等を図る。</u>2020年までを文化政策推進重点期間として位置づけ，文化による国家ブランド戦略の構築と文化産業の経済規模（文化GDP）の拡大に向け取組を推進する。文化芸術活動に対する効果的な支援や子供の体験・学習機会の確保，人材の育成，障害者の文化芸術活動の推進，文化プログラムやジャポニスム2018等の機会を捉えた魅力ある日本文化の発信を進めるとともに，国立文化施設の機能強化，文化財公開・活用に係るセンター機能の整備等による文化財の保存・活用・継承，デジタルアーカイブの構築を図る。
　また，我が国の誇るマンガ，アニメ及びゲーム等のメディア芸術の情報拠点等の整備を進める。

「文化芸術振興基本法の一部を改正する法律」成立（平成29年6月23日公布・施行）
　附則第2条
　「政府は，文化芸術に関する施策を総合的に推進するため，<u>文化庁の機能の拡充等について，その行政組織の在り方を含め検討を加え，その結果に基づいて必要な措置を講ずるものとする。</u>」

| 平成29年 | 7月 | 「新・文化庁の組織体制の整備と本格移転に向けて」（文化庁移転協議会）①京都に文化庁本庁を置くことなど組織体制の大枠，②移転場所を現京都府警察本部本館とすること，および③移転時期を遅くとも平成33年度中*を目指すこと等について，取りまとめ |
| 平成29年 | 12月 | 「文化経済戦略」（内閣官房・文化庁）策定 |

平成30年	6月	「文部科学省設置法の一部を改正する法律」成立 　①文化に関する施策を総合的に推進，②芸術に関する教育及び博物館に関する事務を文部科学省本省から文化庁へ移管 「まち・ひと・しごと創生基本方針2018」（閣議決定） ┌───┐ 【抜粋】 　中央省庁の地方移転について，文化庁については，平成29年4月に本格移転の準備のため「地域文化創生本部」を京都に設置し，同年7月には本格移転における京都本庁の組織体制の大枠，場所，移転時期等を決定した。また，平成30年通常国会で成立した改正文部科学省設置法等に基づき文化庁の機能強化及び抜本的な組織改編を図りつつ，<u>今後も平成29年7月の文化庁移転協議会決定を踏まえ，全面的な移転に向けた取組を着実に進めていく。</u> └───┘ 「経済財政運営と改革の基本方針2018〜少子高齢化の克服による持続的な成長経路の実現〜」（閣議決定） ┌───┐ 【抜粋】 　「文化芸術推進基本計画」や「文化経済戦略」に基づき，2020年までを文化政策推進重点期間と位置づけ，文化による国家ブランド戦略の構築や稼ぐ文化への展開，文化芸術産業の育成などにより文化産業の経済規模（文化GDP）の拡大を図るとともに，文化財の高精細レプリカやVR作成など文化分野における民間資金・先端技術の活用を推進する。また，子供や障害者等の文化芸術活動の推進や，国立文化施設の機能強化を図るとともに，文化財を防衛する観点を踏まえ，文化財の適切な周期での修理や，保存・活用・継承等に取り組む。さらに，<u>京都への全面的な移転に向け，文化庁の機能強化等</u>を着実に進める。映画のロケ誘致やアート市場の活性化に向けた検討などを進めるとともに，文化プログラムの全国展開，日本遺産の認定・活用や国際博物館会議（ICOM）京都大会2019の開催等を通じて日本文化の魅力や日本の美を国内外に発信する。 └───┘
平成30年	8月	「新・文化庁における文化政策の展開と本格移転先庁舎の整備について」（文化庁移転協議会） 「文化庁の全面的な移転に向けた地元の協力について」（京都府・京都市） 　庁舎整備に係る本格移転先庁舎の整備等について，国が負担する賃料トータルを1/2減額（土地相当額は無償，建物相当額は4割減額）とすること等を取りまとめ
平成30年	10月	「文部科学省設置法の一部を改正する法律」施行 ⇒京都への全面的な移転に向け、抜本的組織改正を行い新・文化庁が発足

※移転時期については、その後の工期の遅れ等により、新庁舎の竣工後、速やかに移転し、2022（令和4）年度中の京都における文化庁の業務開始を目指すこととされた（令和2年6月文化庁移転協議会）

（下線は筆者）

注

1　まち・ひと・しごと創生本部は、平成 26 年 9 月 3 日に第二次安倍改造内閣発足
　　と同時に閣議決定により設置され、後にまち・ひと・しごと創生法により内閣
　　に設置される法定の機関となる。本部長は内閣総理大臣。

2　京都府・市は長年文化庁の京都移転を要望してきた。平成 25 年 5 月の「京都ビジョ
　　ン 2040（京都の未来を考える懇話会最終提言）」においても、世界の文化首都・
　　京都に向けた取組として掲げられている。

3　関西地域における文化活動の充実や、関西から文化を発信し、社会全体を元気
　　にすることを目的に、平成 15 年に当時の河合隼雄文化庁長官によって提唱され
　　た構想。

4　「日本の為　文化庁を京都へ」という要望書文中に記されている。

5　当初原案では「全面」移転となっていたが「全面的」移転と修正された。これは、
　　一部機能が東京に残されることを慮っての修正と言われている。

6　文化庁は発足当初から文化部及び文化財部の 2 部制が敷かれ、部長の下での強
　　い縦割組織であったことが念頭に置かれている。

7　令和 2 年 2 月の第 7 回移転協議会（持ち回り開催）において、京都府から文化
　　庁の京都移転に伴う庁舎整備の工期延伸について報告（竣工は令和 4 年 8 月下
　　旬を目指す）があった。

8　土地は京都府・市の無償提供、建物費用の 6 割を国が分担するとし、総額とし
　　ては京都府・市と国の負担割合は 1：1 とした。

9　移転後の経常的経費の対応は主として国において措置されるものであるため、
　　本格的移転を行うための機構定員も含む予算編成の過程で明らかにされる。

10　東アジア文化都市は、文化芸術イベントを集中的に実施する都市として日中韓
　　3 か国からそれぞれ 1 つの都市を毎年選ぶもの。欧州文化首都にならい平成 26
　　年から始まった。

11　この時点で既に文化芸術振興基本法の改正とそれに基づく文部科学省設置法の
　　改正、さらに文化財保護法の改正までもが検討の視野に入っていたことがわか
　　る。

12　これ以前においても、文化省を設置すべきであるという意見はあった。（昭和 52
　　年の文化行政長期総合計画において、既に触れられていたが、具体的な内容に
　　ついての言及はなかった。）

13　平成 27 年 10 月のスポーツ庁設置に先立ち、平成 23 年のスポーツ基本法附則に
　　は、スポーツ庁等の行政組織の在り方についての検討条項が設けられていた。

14　文化芸術基本法が平成 29 年 6 月に公布施行された年の 12 月には超党派の「共
　　生社会の実現を目指す障害者の芸術文化振興議員連盟」が発足し、平成 30 年 6

月 13 日には「障害者による文化芸術活動の推進に関する法律」として公布施行
されることとなる。

15 「国際文化交流の祭典の実施の推進に関する法律」として障害者文化芸術推進法
と同時期に公布・施行されることとなる。

16 振興議連では、文化芸術の関連法が検討されている状況を念頭に置き、基本法
がそれら文化芸術関連法の大本になる法律であると認識されていた。

17 平成 28 年 1 月から和食文化を文化芸術振興基本法に位置付けるべく勉強会が始
まっていた。

18 河村建夫・伊藤信太郎『文化芸術基本法の成立と文化政策―真の文化芸術立国
に向けて―』水曜社 2018　87 頁

19 文化 GDP とは文化活動によって生み出される経済的な付加価値のことである。
文化庁では、我が国に適した文化 GDP の対象領域の扱い方について調査研究を
進めている。

20 河村建夫・伊藤信太郎『文化芸術基本法の成立と文化政策―真の文化芸術立国
に向けて―』水曜社 2018　36 頁脚注 13

21 文部科学省設置法改正当時の最新の調査（平成 27 年 10 月 1 日現在の社会教育
調査）においては、博物館（登録博物館及び博物館相当施設）1,256 中、美術館
及び歴史博物館は 892（71％）を占める。

22 政府機関の移転自体は政府の政策にすぎず、国会の協力無しにはその円滑な実
施が成しえないという意味で、移転に関する国会審議は重要な意義を有する。

第**4**部

文化財保護と観光政策

　文化財保護法にも規定されているように、文化財保護という概念には文化財の保存と活用の両方の概念が含まれている。とりわけ我が国の文化財は脆弱な材料で構成されているものが多く、保存と活用は二項対立で論じられやすい傾向にあるが、公的資金をもってする保存の取組は、活用無くして納税者に対する説明責任を果たし難いといえよう。とりわけ昨今、文化財の観光活用はインバウンドの拡大という経済政策の流れの中で益々期待されており、文化庁にその推進が強く求められるようになった。

　文化財保護制度については、第2部第2章第3節で述べたように、これまでも確実な文化財保護を図る観点から文化財保護審議会や後継の文化審議会文化財分科会において早くから文化財の総合的な把握と保護の考え方を打ち出すとともに、民間団体とも幅広く連携した文化財の保存・活用の必要性を指摘し、公開・活用の在り方についても、きめ細やかな解説や、VR（仮想現実、バーチャルリアリティ）やAR（拡張現実）あるいは文化財のデジタルアーカイブによる提供などを求めてきた。

　平成30年度には、文化庁の機能強化の一環として文化財保護法の改正が行われるとともに、地方分権改革や文化財の活用に資する新たな財源となる国際観光旅客税制が導入されるなど文化財保護に関わる制度面や財政面の新たな動きもあった。そこで、第4部では観光政策の推進と並行して行われた文化財保護制度の改革について概説する。

第1節　観光政策における文化財の価値

　文化財保護は文化庁の重要な任務であり、先述した政府の経済戦略である「日本再興戦略2016」の中の新たに講ずべき具体的施策において、「文化財・文化資源のコストセンターからプロフィットセンターへの転換」というスローガンが掲げられた。この内容は観光戦略の文脈（「明日の日本を支える観光ビジョン」）で語られたスローガン「文化財の観光資源としての開花」と同様のものである。政府の打ち出した観光ビジョンは単なる構想にとどまるものではなく、閣僚会議決定（「観光ビジョンの実現に向けたアクション・プログラム2016」（構想策定と同時の平成28年3月30日に観光立国推進閣僚会議において決定））を伴って実現に向け着実に動き出すこととなる。

　観光ビジョンにおける「従来の『保存を優先とする支援』から『地域の文化財を一体的に活用する取組への支援』に転換」という言い回しは、これまで文化庁が取り組んできた歴史文化基本構想や日本遺産事業の考え方、すなわち文化財一つ一つに着目した保存でなく、地域の観光資源も織り込んだストーリーの下での活用、点でなく面的な整備を重視していることを念頭に置いたものと考えられたが、一方で、**文化財保護法**の目的である文化財の保存と活用のうちでも保存に重点が置かれていることへの批判としても受け止められた。このことは「日本の文化財行政がこれまでも保存と活用の両方を意識して行ってきたこと、そしてそれにもかかわらず保存偏重だと近年考えられるようになったのは、「活用」の意味することが変化した」[注1]との指摘があるように、少なくとも観光政策の視点からは大きく変化を迫られたように見える。

　しかし、観光政策の視点から文化財の活用について指摘されるまでもなく、これ以前からも、文化庁では文化財と観光は表裏一体のものと捉え[注2]、例えば平成14年の文化審議会答申「文化を大切にする社会の

構築について」においても、文化財の解説におけるきめ細やかな配慮、さらには文化財の積極的な公開・活用に向けた VR の手法やデジタルアーカイブによる文化財情報の提供など、現在の最新の文化財活用方策に通じる取組を求めてきた事実からもうかがえるように、地域振興、観光・産業振興あるいは地方創生の観点からより活用を意識した方針が文化庁に存在したことに留意する必要がある^(注3)。

　このように、経済政策の観点から文化財の保存・活用の在り方について提言が打ち出されたことを受けて、文化庁では当時の文化財保護部を中心に「文化財活用・理解促進戦略プログラム2020」を策定し、日本遺産をはじめ文化財を中核とする観光拠点を全国で200拠点程度整備することのほか、外国人にわかりやすい多言語解説、博物館等の開館時間の延長、文化財の美装化なども盛り込まれた。

　一方、提言が打ち出された時期は、京都移転とその前提となる文化庁の機能強化の工程表^(注4)を検討していた時期に重なっていたため、その検討の過程で文化財保護制度の見直しが俎上に載る。すなわち文化財の活用の在り方の見直しは文化庁の機能強化の一環であるという整理である。そのため、文化審議会は、平成28年11月の文化庁の機能強化に向けた緊急提言において、「観光振興にも資するよう、文化財単体ではなく、地域に所在する文化財等を地域固有のストーリーも加味しつつ総合的に活用すべきである。このため、地方公共団体が計画等に基づいて一元的に文化財の保存や整備、活用等を図ることのできる取組を進めるべき」と述べ、後の**文化財保護法**や**地方教育行政法**の改正につながる方向性を打ち出している。

明日の日本を支える観光ビジョン
― 世界が訪れたくなる日本へ ―

平成 28 年 3 月 30 日
明日の日本を支える観光ビジョン構想会議決定

視点 1. 観光資源の魅力を極め、「地方創生」の礎に
文化財の観光資源としての開花

○ 従来の「保存を優先とする支援」から「地域の文化財を一体的に活用する取組への支援」に転換（優先支援枠の設定など）。

○ 「文化財活用・理解促進戦略プログラム 2020」（仮称）を策定し、文化財単体ではなく地域の文化財を一体とした面的整備や分かりやすい多言語解説など、以下の取組を 2020 年までに 1000 事業程度実施し、日本遺産をはじめ、文化財を中核とする観光拠点を全国 200 拠点程度整備。

・支援制度の見直し
　　◇地方自治体等の文化財活用事業の支援に際し、観光客数などを指標に追加
　　◇地域の文化財を一体的に整備・支援
　　◇適切な修理周期による修理・整備
　　◇観光資源としての価値を高める美装化への支援
　　◇修理現場の公開（修理観光）や、修理の機会をとらえた解説整備への支援

・観光コンテンツとしての質向上
　　◇わかりやすい解説の充実・多言語化
　　◇宿泊施設やユニークベニュー^{（※）}等への観光活用の促進
　　　（※）歴史的建造物や公的空間等、会議・レセプション・イベント等を開催する
　　　　　際に特別感や地域特性を演出できる会場
　　◇学芸員や文化財保護担当者等に対する文化財を活用した観光振興に関する講座の新設、質の高い Heritage Manager^{（※）}等の養成と配置
　　　（※）良質な管理を伴う文化財の持続的活用を行える人材
　　◇全国の文化財や文化芸術活動を発信するポータルサイトの構築

◇美術館や博物館における参加・体験型教育プログラム等への支援、ニーズを踏まえた開館時間の延長

◇文化プログラムをはじめとする文化芸術活動との連携等

○　文化庁について、地方創生や文化財の活用など、文化行政上の新たな政策ニーズ等への対応を含め、機能強化を図りつつ、数年の内に全面的に京都に移転。

・地域の文化資源を活用した観光振興・地方創生の拡充に向けた対応の強化

・我が国の文化の国際発信力の向上

視点２. 観光産業を革新し、国際競争力を高め、我が国の基幹産業に
訪日プロモーションの戦略的高度化

○　オリパラ後も見据えた訪日プロモーションの戦略的高度化に向け、以下の取組を実施。

・増額したプロモーション予算を欧米豪へ重点配分（2016 年度）

・世界的な広告会社の活用や、海外の知日派による日本版アドバイザリーボードの設置を通じ、観光ブランドイメージを確立

・海外の著名人やメダリストが各地で日本文化などを体験する様を映像化し、BBC や CNN など海外キー局で配信

・自治体のインバウンド誘致活動に対する JNTO の支援体制強化

・海外市場において、日本各地を順番に集中 PR するデスティネーション・キャンペーンを実施

・オリパラを活用して訪日プロモーションの効果が最大限発揮されるよう、以下の取組を段階的に実施

◇2019 年ラグビー WC の開催や、2020 年オリパラ前後を通じて行われる文化プログラム（beyond 2020 プログラム）、ホストタウンでの相互交流などを契機とし、各地方が誇る歴史・文化、マンガ・アニメ等のメディア芸術や食文化等の魅力を、主に欧米豪に向けて強力に発信

観光ビジョン実現プログラム2016
－世界が訪れたくなる日本を目指して－
（観光ビジョンの実現に向けたアクション・プログラム2016）

平成 28 年 3 月 30 日
観光立国推進閣僚会議決定

文化財の観光資源としての開花

・「文化財活用・理解促進戦略プログラム2020」を本年度当初に策定
 し、これを踏まえ、文化財単体ではなく地域の文化財を一体とした面
 的整備や分かりやすい多言語解説など、以下の取組を2020年までに
 1000事業程度実施し、日本遺産をはじめ、文化財を中核とする観光拠
 点を全国200拠点程度整備する。【新規】

・我が国の歴史・文化を体現する文化財の価値・魅力を外国人旅行者に
 対して多言語で伝える事業の支援に際し、地方自治体が策定する事業
 計画の審査指標に観光客数などを追加する。【改善・強化】

・地域の文化財について、指定・未指定を問わず、その周辺環境も含め
 て一体的に保存・活用を図るための基本的な指針である「歴史文化基
 本構想」の地方自治体による策定を支援する。また、地域の歴史的魅
 力や特色を通じて我が国の文化・伝統をストーリーで表現する日本遺
 産について2020年までに100件程度認定する。さらに、ストーリー
 を語る上で不可欠な、魅力ある有形・無形の文化財群を、地域が主体
 となって総合的に整備・活用し、国内外に戦略的に発信するとともに、
 日本遺産のブランド化を推進することにより地域活性化を図る。【改
 善・強化】

・国宝・重要文化財建造物、登録有形文化財建造物、重要伝統的建造物
 群保存地区の建造物の価値を損なうことなく次世代へ継承するため、
 適切な修理周期による保存修理を行う。【改善・強化】

・2020 年東京オリンピック・パラリンピック競技大会までの間、重
 要文化財建造物の美装化を重点的に図るための「美しい日本探訪のた
 めの文化財建造物活用事業」を実施し、国内外の人々に美しい日本の
 旅を提供する。【改善・強化】

・文化財建造物等の快適性や安全性を高めるための施設・設備を充実さ
 せる「公開活用事業」を実施し、ユニークベニュー等の観光利用の促

進を図る。また、宿泊可能な登録有形文化財建造物に関する情報を広く提供する等の事業を展開する。【改善・強化】

- 国宝・重要文化財建造物、登録有形文化財建造物、重要伝統的建造物群保存地区の建造物の価値を損なうことなく次世代へ継承するため、適時適切な保存修理や、防災施設整備、耐震対策等の充実を図るとともに、修理現場の公開（修理観光）や修理の機会をとらえた解説整備への支援を行う。【改善・強化】
- 美術館・博物館等の文化施設において、展示解説や館内案内板における外国語表示、ICT を活用した情報提供、外国人向け体験メニューの充実等に対する支援を行い、多言語化対応を進めるとともに、「文化財の英語解説の在り方に関する有識者会議」における、ICT の活用や、英語でのわかりやすい解説表示の在り方・ポイント等に関する検討結果を踏まえ、文化財の日本語・外国語での情報発信に対する支援を行う。【改善・強化】
- 本年度から、学芸員・文化財保護担当者等を対象とする、文化財を活用した観光振興に関する講座を新設する。【新規】
- 質の高い Heritage Manager の養成と配置に資する取組を行い、良質な管理を伴う文化財の持続的活用を行える体制づくりを支援する。【新規】
- 全国で展開される文化プログラムに関する情報を多言語で国内外に発信する文化情報プラットフォーム（ポータルサイト）を本年秋頃に構築する。【改善・強化】

- 美術館・博物館における観覧者の満足度を向上させるため、参加・体験型教育プログラムの充実や障害者を対象とした鑑賞支援を推進するとともに、ニーズを踏まえた開館時間の延長を促進する。【新規】
- 全国で展開される文化プログラムをはじめとする文化情報を多言語で国内外に発信する。【改善・強化】

- 文化庁について、今後一層の取組強化が求められる地方創生や文化財の活用など、文化行政上の新たな政策ニーズ等への対応を含め、京都という土地柄も活かして機能強化を図りつつ、数年の内に全面的に京都に移転する。【新規】
  - 関係省庁及び京都をはじめとする関西地域の地方自治体、産業界、大学、地域コミュニティ等の官民挙げた協力により、地域の文化資源を活用した観光振興・地方創生の拡充に向けた対応を強化する。【新規】

・我が国の文化の国際発信力の向上を図るための手法を本年度中に検討
し、実行に移す。【新規】

〈関連施策〉
○世界文化遺産の観光への活用
　・2015 年度からスタートした「世界文化遺産活性化事業」により、
　多言語によるガイドツアーや文化財保存修理の見学会、保存修理作業
　の模擬体験プログラム等の企画、情報発信等の取組を支援し、世界文
　化遺産が所在する地方への誘客により地域の活性化を図る。【改善・
　強化】
○文化芸術資源を活用した地域活性化
　・芸術祭開催等の文化芸術活動による観光振興、地域の名産品と文化芸
　術との融合による新たな商品開発・販売促進を通じた街おこしなど、
　産学官及び劇場、音楽堂等の連携による地域経済活性化の取組や、そ
　れを担う人材育成を行う。【新規】

訪日プロモーションの戦略的高度化
　・文化庁及び JNTO において 2016 年リオデジャネイロオリンピック・
　パラリンピック競技大会終了後に本格実施される文化プログラムを活
　用し、日本の各地域が誇る歴史・文化、マンガ・アニメ等のメディア
　芸術や食文化等の魅力を、主に欧米豪に向けて強力に発信する。【新規】
　・メディア芸術祭 20 周年企画展の実施や人材育成を通じ、現代アート
　やマンガ・アニメ・ゲーム等のメディア芸術の創造・発信を強化する。
　【改善・強化】
　・2020 年以降を見据え、日本の強みである地域性豊かで多様性
　に富んだ文化を活かし、成熟社会にふさわしい次世代に誇れるレ
　ガシー創出に資する文化プログラムを国と東京都が一体となって
　「beyond2020 プログラム」として推進し、日本全国での展開、盛
　り上げを図る。「beyond2020 プログラム」を通じて、我が国の文
　化向上に取り組むとともに、すべての人の当該文化プログラムへの参
　画の機会を確保するため、バリアフリー対応や多言語対応の強化の促
　進を図り、企業等の行動に変革を促し、我が国での旅行に対する潜在
　需要も取り込んでいく。【新規】
　・スポーツ庁、文化庁、観光庁の三庁において「スポーツ文化ツーリズ
　ム百選」（仮称）を選定する。【新規】

第2節　文化財保護制度の見直し

　経済政策の文脈の中で文化財保護制度の見直しに本格的に着手するのは、京都移転に向けた文化庁の機能強化の工程表が策定された翌年、経済財政運営と改革の基本方針 2017（平成 29 年 6 月 9 日閣議決定）に向けた検討が本格化した平成 29 年 5 月である。すなわち文化庁では、文化経済戦略特別チームと連携しつつ、平成 32 年（令和 2 年）までの期間を文化政策の推進重点期間とし、文化資源の活用の仕組みを創出するとして、文化財保護制度の活用の観点に立った見直しや、文化財保存・活用センター（仮称）^{（注5）}の整備などの検討を始めた。そして、文化審議会に対し、①これからの時代にふさわしい文化財の保存と活用の方策の改善、②文化財の持つ潜在力を一層引き出すための文化財保護の新たな展開、③文化財を確実に継承するための環境整備の 3 点について諮問を行い、文化財分科会の下に企画調査会を設置して検討が開始される。

　そして、同年 12 月 8 日に出された第一次答申「文化財の確実な継承に向けたこれからの時代にふさわしい保存と活用の在り方について」では、文化財の保存と活用に関し「文化財の保存と活用の好循環を創り上げていく視点が重要である。……目先の利益は本質ではなく、文化財とそれを育んだ地域の持続的な維持発展のために、文化財の保存と活用そしてその担い手の拡充を考えていくべきである」として、短期的な利益追求に走ることを戒めつつ、**文化財保護法**の改正に向けた具体的な方向性が打ち出された。また、同年 12 月 27 日に発表された「文化経済戦略」（内閣官房・文化庁）においても、文化財の特性や適切な保存に十分配慮しつつ積極的な活用を進めるためとして、慎重な言い回しながら文化財保護制度の見直しに言及している。

　このように、文化財の保存・活用の在り方に関わる文化財保護制度の改正については、文化財保護政策と経済政策それぞれの策定過程で折り

合いがつけられた。すなわち、文化財の活用は、その進め方如何によっては文化財そのものの価値の減失につながりかねないため、制度改正については政府文書の中でも慎重に取り扱われたのである。このことは立法府（文化芸術振興議員連盟）における平成29年の**文化芸術振興基本法**改正に向けた検討においても同様であり、文化財の観光への活用の規定を追加することの可否について議論されたものの、結果として文化財の保存・活用を定めた条文に些かの変更も加えられなかった。

第1項　文化財保護法の改正

　文化財保護制度の見直しに至る経緯から、平成30年の**文化財保護法**の改正が単なる経済戦略の視点からの見直しと捉えるのは正確ではない。すなわち、我が国の文化財を巡る社会情勢の変化と文化財保護制度の見直し・改善の積み重ねがその背景にあることを理解しなければ本質を見誤る。

　第2部第2章で述べたように、文化財は社会構造や国民の意識の変化を反映して、保護対象の拡大と保護手法の多様化が図られてきた。一方で、文化財の保護制度を巡っては、法律に規定されている文化財類型別の保護手法に加えて、類型の枠を超えた総合的な保存・活用や周辺環境も含めた文化財保護の必要性、国や地方公共団体や関係者だけでなく、個人、企業、NPOなど民間あるいは官民が連携して文化財保護を担う必要性、さらには、地域振興、都市計画、観光振興などの施策との連携の必要性などを念頭に、検討が進められてきた。平成19年2月の第2次基本方針においては「文化財を建造物、美術工芸品等の類型ごとに捉えるのではなく、類型の枠を超えて文化財が一定の関連性を持ちながら集まったものについては総体として捉えるなど、総合的に把握し、保護する方策について検討する」とされ、同年10月には文化審議会文化財分科会企画調査会において、地方公共団体における歴史文化基本構想の

策定を中心とする報告書がまとめられた。

　この報告書においては、地域に応じた文化財の総合的な把握や地域住民やNPO法人、企業などの民間団体の巻き込み、**都市計画法**や**景観法**などの活用など関連する行政分野との連携だけでなく、指定文化財の保存管理計画の策定促進、ユニークベニュー（特別感を演出できる場所）としての活用も含めた文化財の理解促進や観光振興、まちづくり、産業振興における保存と活用の両立、専門人材の確保についても述べられ、平成6年の文化財保護審議会文化財保護企画特別委員会や平成13年の文化審議会文化財分科会企画調査会における検討の成果を踏まえた上で、新たな総合的な方策を打ち出している。その意味では、このたびの**文化財保護法**の改正の背景には、社会情勢の変化に対応して不断の検討が加えられてきた文化財保護政策の潮流があることを踏まえる必要がある。

　一方、平成20年5月には、文化財を活かしたまちづくりを推進するため、文化庁、国土交通省及び農林水産省共管の法律「**地域における歴史的風致の維持及び向上に関する法律**」（歴史まちづくり法）が成立しており、まちづくりの観点から文化庁と両省との連携が一層進むこととなる。

　このような文化財の総合的な把握の取組は、歴史文化基本構想策定支援の取組から発展し、観光振興の要素をより強めた日本遺産事業の展開につながるなど一定の成果をみるに至っている。しかしながら、文化財を巡っては、地域において少子高齢化による文化財の担い手不足の問題が深刻化している一方で、観光・まちづくりにおいて地域主体の文化資源の掘り起こしや磨き上げなど、文化財活用の取組が活発化してきており、文化財所有者や自治体関係者だけでなく、文化財の保存・活用を図る団体や、商工会、観光関係団体など文化財に関わりを持つ様々な関係者が役割分担を行いつつ、地域社会総がかりの取組を推進する法整備の

194

機運が高まってきた。

　文化財保護制度の見直しの観点からは、文化財の担い手不足の課題に対して、地方公共団体や民間団体の文化財の保存・活用に向けた取組の役割分担を明確化し、文化財の保存や活用を総合的・計画的に推進するための枠組みを制度上位置付けることが適当と考えられた。この点については、先述した文化審議会答申（平成29年12月8日）においても、「文化財やその所有者に最も身近な行政主体である市町村の単位で、地域住民と緊密に連携しながら、消滅の危機にある文化財の掘り起こしを含め、文化財を総合的に把握し、ここから多様な発想を得て地域一体で計画的に保存・活用に取り組んでいくことが極めて重要」であると指摘している。

　また、地域主体の文化財の掘り起こしや活用を推進するためには、文化財の保存・活用に係る諸手続きの弾力化が必要と考えられ、観光やまちづくり行政などと連携してより幅広い視点で文化財を活用する文化財行政を推進するためには、自治体における文化財保護の事務を教育委員会から首長に移管可能とすることも必要と考えられた。前者に関しては、歴史文化基本構想や個々の文化財の保存活用計画を法定化し、国による認定を経ることにより規制緩和や税制上の優遇措置を講じることが、後者に関しては、条例の定めにより文化財保護行政を首長が担当できるようにすることが検討された。

　このような制度改善を図ることにより、日々失われていく未指定を含めた文化財をまちづくりに活かしながら確実に継承されることとなれば、文化財を介した地域住民の地域への愛着が深まり、地域活性化が期待でき、また、保存・活用に係る計画策定により、必要となる措置を可視化するとともに手続きも弾力化すれば、より確実かつ柔軟に文化財行政を進めることができるようになると考えられたのである。

　このたびの**文化財保護法**の改正事項は多岐にわたるが、その主なものについて以下に解説する。

**（資料4-3）文化財保護法及び地方教育行政の組織及び運営に関する法律
の一部を改正する法律の概要**

文化財保護法及び地方教育行政の組織及び運営に関する法律
の一部を改正する法律の概要

趣旨
　過疎化・少子高齢化などを背景に、文化財の滅失や散逸等の防止が緊急
の課題であり、未指定を含めた文化財をまちづくりに活かしつつ、地域社
会総がかりで、その継承に取組んでいくことが必要。このため、地域にお
ける文化財の計画的な保存・活用の促進や、地方文化財保護行政の推進力
の強化を図る。

概要
１．文化財保護法の一部改正
（１）地域における文化財の総合的な保存・活用
① 都道府県は、文化財の保存・活用に関する総合的な施策の大綱を策定
　　できる
【第183条の2第1項】

② 市町村は、都道府県の大綱を勘案し、文化財の保存・活用に関する総
　　合的な計画（文化財保存活用地域計画）を作成し、国の認定を申請で
　　きる。計画作成等に当たっては、住民の意見の反映に努めるととも
　　に、協議会を組織できる（協議会は市町村、都道府県、文化財の所有
　　者、文化財保存活用支援団体のほか、学識経験者、商工会、観光関係
　　団体などの必要な者で構成）
【第183条の3第1項、同条第3項、第183条の9】

【計画の認定を受けることによる効果】
・国の登録文化財とすべき物件を提案できることとし、未指定文化財の
　確実な継承を推進
・現状変更の許可など文化庁長官の権限に属する事務の一部について、
　都道府県・市のみならず認定町村でも行うことを可能とし、認定計画
　の円滑な実施を促進
【第183条の5、第184条の2】

③ 市町村は、地域において、文化財所有者の相談に応じたり調査研究を
　　行ったりする民間団体等を文化財保存活用支援団体として指定できる
【第192条の2、第192条の3】

（2） 個々の文化財の確実な継承に向けた保存活用制度の見直し

① 国指定等<u>文化財の所有者又は管理団体</u>（主に地方公共団体）は、<u>保存</u>
<u>活用計画</u>を作成し、国の認定を申請できる

【第53条の2第1項等】

> 【計画の認定を受けることによる効果】
> ・国指定等文化財の現状変更等にはその都度国の許可等が必要であるが、
> 認定保存活用計画に記載された行為は、<u>許可を届出とするなど手続き</u>
> <u>を弾力化</u>
> ・美術工芸品に係る<u>相続税の納税猶予</u>（計画の認定を受け美術館等に寄
> 託・公開した場合の特例）
>
> 【第53条の4等（税制優遇は税法で措置）】

② 所有者に代わり文化財を保存・活用する管理責任者について、<u>選任で</u>
<u>きる要件を拡大</u>し、高齢化等により所有者だけでは十分な保護が難し
い場合への対応を図る

【第31条第2項等】

（3） 地方における<u>文化財保護行政に係る制度の見直し</u>

① 下記2．により地方公共団体の長が文化財保護を担当する場合、当該
地方公共団体には<u>地方文化財保護審議会を必置とする</u>

【第190条第2項】

② 文化財の巡視や所有者への助言等を行う文化財保護指導委員につい
て、都道府県だけでなく<u>市町村にも置くことができることとする</u>

【第191条第1項】

（4） <u>罰則の見直し</u>

① 重要文化財等の損壊や毀棄等に係る罰金刑の引き上げ等

【第195条第1項等】

2．地方教育行政の組織及び運営に関する法律の一部改正
地方公共団体における<u>文化財保護の事務</u>は教育委員会の所管とされてい
るが、条例により<u>地方公共団体の長が担当</u>できるようにする

【地教行法第23条第1項】

施行期日　平成31年4月1日

（1）　文化財保存活用地域計画

　文化財保存活用地域計画（以下「地域計画」という。）は、もともと
予算事業としてその策定を推進してきた歴史文化基本構想を法定化した
ものである。

　歴史文化基本構想は、平成19年の文化審議会文化財分科会企画調査
会報告書の提言に基づき地域において策定される文化財を核としたまち
づくり構想の一つであり（第2部第2章第3節第1項参照）、文化財保
護行政の観点からは、市町村が住民などの参加を得て、地域に存在する
文化財を、指定・未指定にかかわらず幅広く捉えて、的確に把握し、文
化財をその周辺地域まで含めて、総合的に保存・活用していくためのも
のである。しかし、構想策定に当たって、必ずしもそれを実行するため
の具体的な計画作りまでは求めてはいなかった。

　また、地域づくりの観点からは、歴史文化基本構想は、文化財を核と
して、地域全体を歴史文化の視点から捉え、各種施策を統合して歴史・
文化を活かした地域づくりを行っていくためのものでもあり、その意味
では、まちづくりや景観・自然環境との関わりの中で国土交通、農林水産、
環境行政との連携が必要となってくる。しかし、市街地の良好な環境を
維持・向上させる計画である歴史的風致維持向上計画や景観計画などは、
歴史まちづくり法や**景観法**に根拠を有する一方、当該構想には法的根拠
がなく、法的な位置付けという面でバランスを欠くものであった^(注6)。

　文化庁では、平成20年度から各地域での歴史文化基本構想づくりを
後押しする事業を開始したが、当時から、この構想に法的根拠を持たせ
ることが将来的な検討事項となっていた。そこで今回の**文化財保護法**の
改正において、地域で協力して文化財の保存・活用を図る施策を総合的
に講じるための基本的枠組みとして制度化したものである（第183条の
3第1項）。

　すなわち、地域において中・長期的な観点から文化財の保存・活用の

ための取組を計画的かつ継続的に実施するだけでなく、地域の文化財行政の方向性を「見える化」し、文化財の専門家だけでなく、多様な関係者が参画した地域社会総がかりで取り組めるよう、**文化財保護法**上に「地域計画」として位置付け、文化庁長官の認定等必要な手続きを定めた。なお、計画期間は、地域の文化財の継承に向けた中長期的観点からの計画であることや評価サイクルも勘案して、概ね5年から10年程度が適当と考えられている。

　地域計画の作成に当たっては、未指定の文化財^(注7)も含め地域の文化財を総合的に調査・把握し、その保存・活用のために必要な措置を明らかにする必要があるが、その前提として専門的な見地から文化財の価値付けについての検討が必要となる。そこで、地域計画を作成できるのは地方文化財保護審議会が置かれる市町村に限定するとともに、その作成に当たっては、あらかじめ地方文化財保護審議会の意見聴取を義務付けている（第183条の3第1項、第3項）。また、地域の文化財を確実に継承していくためには、文化財に対する地域住民の理解が必要であり、計画作成に当たって公聴会の開催や計画案の縦覧などを通じ住民の意見を反映させるよう努める（第183条の3第3項）とともに、地域計画の認定を受けた場合、当該計画を遅滞なく公表するよう努めることとしている（第183条の3第8項）。

　なお、地域計画の策定やその推進を図る上では、市町村など地域の文化財により身近な基礎自治体における文化財行政の推進力強化を図る必要があることから、文化財保護指導委員を置くことができる自治体を市町村にも拡大する（第191条第1項）とともに、地域計画の認定を受けた市町村（以下「認定市町村」という。）内の重要文化財に係る現状変更の許可等の事務について、認定計画期間内に限り事務処理特例^(注8)により当該市町村による権限行使を可能にした（第184条の2）。

　ただし、基礎自治体には、文化財の専門的知識を有する者が少ないこ

とから、地域計画の作成やその円滑な実施等に関し、都道府県の教育委員会が必要な助言をできるようにし、国も必要な情報の提供又は指導・助言に努めなければならないとした（第183条の8第1項、第2項）。

　また、認定市町村への規制緩和策として国の登録文化財とすべき物件を提案できることとしている（第183条の5第1項）。文化財登録制度は、社会的評価を受ける間もなく消滅の危機にさらされている未指定の文化財に緩やかな保護措置を講じることができるよう平成8年に創設された制度であり、例えば未指定の建造物の登録をきっかけに重要伝統建造物群保存地区の選定に結びついた事例も多い。いわばこの提案制度は、国の登録文化財をボトムアップで提案できるものであり、国で把握しきれなかった未指定文化財の保護のさらなる推進につながることが期待される。ただし、認定市町村が登録文化財を提案しようとするときは、あらかじめ、地方文化財保護審議会の意見を聴かなければならない（第183条の5第2項）。

　なお、このような登録文化財の提案制度は、令和2年に成立した**文化観光拠点施設を中核とした地域における文化観光の推進に関する法律**においても取り入れられた。

（2）　地域計画と大綱との関係

　地域計画自体は、既にある**歴史まちづくり法の枠組み**[注9]を参考にしている。すなわち、市町村が作成する計画についての国による認定と、認定を受けた計画に基づく特別の措置がその骨格である[注10]。したがって、そこには広域自治体である都道府県の関わりはもともと想定されていなかった。

　文化財行政を進める上では専門的な知識・経験が必要であるが、小規模市町村における体制は脆弱[注11]である。都道府県は、従来から域内の市町村の実情に応じ文化財保護に関する指導・助言・援助を行ってお

り、地域の文化財保護に果たす都道府県の役割は大きい。また、災害対応や広域文化観光などの広域的な課題について、その一体的な施策の推進や、関係市町村の連携促進に向け、都道府県の積極的な役割も期待される。

　そのため、都道府県教育委員会は当該都道府県の区域における文化財の保存・活用に関する総合的な施策の大綱（以下「大綱」という。）を策定することができることとし（第183条の2第1項）、都道府県が大綱を策定した場合には域内の市町村への送付を義務付けている（第183条の2第2項）。また、市町村は、都道府県が大綱を定めているときは、地域計画の策定に際し当該大綱を勘案することとして（第183条の3第1項）、地域計画の策定に関し、都道府県も積極的な役割を果たせるようにした。

　また、後述する個別の文化財の保存活用計画や市町村の地域計画の文化庁長官の認定については、都道府県の大綱に照らし適切であることがその要件となっていることから、文化庁長官へも大綱を送付しなければならない（第183条の2第2項）。

（3）　協議会の設置

　文化財の保存や活用を総合的に推進していくためには、文化財や行政に関わる者だけでなく、景観、まちづくりや観光、教育等の分野も視野に入れ、民間も含めた地域の幅広い関係者の協力も得て、地域社会総がかりの取組が必要となる。そのため、地域計画の策定に当たって地域の様々な関係者で構成される協議会を組織できることとした（第183条の9第1項）。構成員は①市町村、②当該市町村の区域をその区域に含む都道府県、③文化財保存活用支援団体、④文化財の所有者、学識経験者、商工関係団体、観光関係団体その他の市町村教育委員会が必要と認める者である（同条第2項）。

地域計画の制度化に併せて協議会を制度化したのは、策定された地域計画が幅広い関係者のコンセンサスを得たものとして実効性を高めようとする趣旨であり、協議会を組織した場合は、地域計画作成時に、あらかじめ協議会の意見聴取を義務付けている（第183条の3第3項）。

（4）　文化財保存活用支援団体
　過疎化や少子高齢化等により文化財継承の担い手が減少するなか、所有者や地方公共団体だけで文化財を十分に保存・活用することが困難になっており、地域においては、所有者や地方公共団体だけでなく公益法人やNPO法人あるいは保存会など様々な民間団体が文化財の保存・活用に取り組んでいる。平成13年の文化審議会文化財分科会企画調査会報告においては、幅広い連携協力による文化財の保存・活用を図る文脈の中で、NPO、NGOや保存会と、国、地方公共団体の積極的な連携やそれら民間団体の文化財保護活動が容易となる環境づくりの必要性について指摘しており、このような地域コミュニティの役割は、文化財保護における「新しい公共」の在り方としても期待され、先述した昨今の世界遺産の保護における地域コミュニティの役割重視の流れと符合するものである。そこで、それらの団体が、文化財保存活用支援団体として市町村の指定を受けた上で、協議会への参画や地域計画作成の提案等ができる制度を整備し、地域の文化財保護における民間団体の役割をより明確化した（第192条の2～6）。
　文化財保存活用支援団体の業務は、その代表的なものを法律上例示している通り、所有者からの委託による文化財の管理・修理など公共性の高いものがあり、市町村から当該団体に対する業務改善命令や指定の取消しなどの監督規定を整備している。

（5） 管理責任者

　管理責任者制度は、文化財の所有者が「特別の事情があるとき」に所有者に代わって文化財の管理の責任を負う者を選任できる仕組みであるが、極めて限定的な運用にとどまり、所有者の高齢化や担い手不足等の課題がある中でも数件程度の例があるだけで、その活用が進んでいない実態があった。一方で、地域の文化財を地域で支える体制の構築や、所有者が遠隔地にいても文化財の所在地において管理・活用を任せられる者の必要性などの課題が指摘されており、選任の要件を「適切な管理のため必要があるとき」として、例えば、所有者よりも文化財の管理について知見を有する者に管理を代行させたい場合や、高齢などのため、日常的な文化財の管理が難しい場合などにも活用できるよう、要件を拡大することとした（第31条第2項）。

　また、このたびの文化財保存活用支援団体の制度創設に伴い、管理責任者の代表的なものとして当該団体を例示している。

（6） 保存活用計画の法定化

　地域社会総がかりでの文化財の保存・活用を推進する上では、その核となる個々の文化財そのものの確実な継承が図られなければならない。そのためには、文化財所有者等が個々の文化財の保存・活用の考え方を明確にし、適切な周期での修理や公開活用、あるいは伝承者の養成や用具の確保などについて文化財類型に沿って中長期的な観点から「見える化」し、計画的に取り組んでいくことが必要である。

　文化庁では、これまで予算事業として重要文化財の建造物や記念物について保存活用計画作成を推奨し、重要無形文化財の支援に当たり伝承者養成や原材料・用具の確保等の伝承者養成事業計画の策定を求めてきたが、これらについて「保存活用計画」として法律上の根拠を与えるとともに、国指定文化財や登録文化財を対象に作成を推進することとした

（重要文化財：第53条の2　登録有形文化財：第67条の2　重要無形文化財：第76条の2　重要有形民俗文化財：第85条の2　重要無形民俗文化財：第89条の2　登録有形民俗文化財：第90条の2　史跡名勝天然記念物：第129条の2　登録記念物：第133条の2^{（注12）}）。また、当該計画について国の認定を受けることができることとし、その場合、記載された現状変更についての許可を事後の届出ですむこととするなど手続きの弾力化等を図った（第53条の4及び5）。なお、保存活用計画を国が認定するに当たっては、大綱や地域計画がある場合にそれとの整合性を求めている（重要文化財：第53条の2第4項第3号　その他も同様。）。

　中でも、美術工芸品については、寺社や個人所有のものが多く、個々の文化財に関する計画を作成することが困難であるため、これまで保存活用計画の作成は推進されてこなかったが、取扱い方法や過去の修理履歴を「見える化」し、保存や公開・活用に地域の博物館や自治体等の関係者が連携して取り組めるよう、制度の対象とした。

　また、重要無形文化財や重要無形民俗文化財の保存活用計画の作成については、一定の事務が発生することとなるため、演者や保存会だけでなく地方公共団体も関わることを期待している。それにより、計画の作成過程で演者や保存会、地方公共団体等の関係者が当該文化財としての価値を再認識し、継承に向けた課題を共有することにつながるものと考えられた。いずれにせよ、保存活用計画には文化財の特性を踏まえた適切な管理や修理の在り方など、専門的・技術的な判断が求められる場合もあり、所有者又は管理団体の求めに応じ地方公共団体が指導・助言することができることとしている（第53条の8第1項）。

　なお、美術工芸品の所有者の高齢化が進む中、相続税負担を理由とする散逸が懸念されるが、美術工芸品に関して保存活用計画の認定を受け、美術館等に寄託・公開した場合に、当該美術工芸品に係る相続税の納税

猶予措置を設け、個人所有者の負担を軽減し美術品の計画的な保存・活用を促進することとした（租税特別措置法第70条の6の7）。

　保存活用計画の計画期間については、対象となる文化財が建造物や美術工芸品など多種多様なものにわたることから、法律上の規定は無いが、一般的な計画の評価サイクルの観点から概ね5年から10年程度の期間を想定している。

第2項　文化財保護と地方分権改革

　これまで、文化財の保護に関する事務は教育委員会が管理し、執行することとされていた。一方で、**地方自治法**に基づき、一部の地方公共団体において事務委任や補助執行により文化財保護に関する事務の一部が首長部局において行われてきた（平成29年9月時点で事務委任は1県1政令指定都市2中核市等、補助執行は3県11政令指定都市12中核市等）が、これはあくまで首長の補助機関の職員に対する事務委任もしくはそれらの職員による補助執行であり、また、文化財保護に関する重要事項について事務委任や補助執行させることは法の趣旨に反するものと解されていた[注13]。

　文化財保護については、法令上教育委員会の所管となっていた（**地方教育行政法**第21条）が、所管の在り方を巡っては様々な議論が行われてきた。平成17年には地方制度調査会から「学校教育以外の事務については、地方公共団体の判断により長が所掌するか、教育委員会が所掌するかの選択を幅広く認める措置を直ちに採ることとすべき」とする答申が行われ、平成19年の**地方教育行政法**の改正により文化財の保護を除く文化に関する事務及び学校体育を除くスポーツに関する事務は、条例により、地方公共団体の長の所管とすることが可能とされたが、文化財保護は移管の対象とされなかった。

　その後も、平成25年に教育再生実行会議の第2次提言を踏まえて教

育委員会制度等の在り方について中央教育審議会や文化審議会文化財分科会企画調査会で議論された際にも、その所管について議論された。しかし、もともと文化財保護の所管は、長の行う開発行政との均衡を図るなどの観点で教育委員会の所管とされていた経緯から、長への移管については慎重論が根強く、とりわけ、文化審議会における議論では文化財保護行政については、どのような機関がその事務を管理し執行するとしても①専門的・技術的判断の確保、②政治的中立性、継続性・安定性の確保、③開発行為との均衡、④学校教育や社会教育との連携という4つの要請を十分勘案すべきとし、結局見直されることは無かった。

近年、文化財と景観・まちづくりや観光等の他の行政分野と連携した総合的・一体的な取組の必要性が高まってきており、また、文化財保護事務について**地方自治法**上の仕組みを活用して首長部局が事務委任を受けあるいは補助執行したとしても、権限と責任の所在の曖昧さや手続きの煩雑さなどの課題が残ることから、地方の側から、地方の判断で教育委員会から首長に事務を移管できる仕組みが求められるようになった。

そこで、このたびの文化財保護制度の改正と併せて、条例により文化財保護行政を首長が執行・管理できるようにする（**地方教育行政法**第23条第1項）とともに、その場合には専門的・技術的判断の必要性から地方文化財保護審議会を必置にすること（第190条第2項）など、文化審議会の掲げた4つの要請に対する制度的環境整備等も併せて行われた。

なお、実際に、首長が文化財保護に関する事務を執行・管理する場合には、文化審議会での議論を踏まえ、文化財に関して優れた専門的知見を持つ職員の配置促進や必要な研修の充実、コンプライアンスや透明性の向上、学校教育・社会教育との連携強化も併せて取り組む必要があることは言うまでもない。

第3項　文化財保護法改正に伴う地方財政措置の充実

　新たな制度を導入し、地方公共団体の行う地域の文化財の保存・活用を推進する取組を促すためには、地方財政措置の一層の充実が必要となる。そこで、改正**文化財保護法**の施行前の平成30年度から文化財の保存・活用に要する経費に対して地方財政措置を拡充した。

　一点目は、文化財の保存・活用に係る施設整備の国庫補助事業について、都道府県・市町村ともに一般補助施設整備等事業債の対象とし、その元利償還金に対する交付税措置を拡充した。これにより、史跡・建造物の購入や文化財の保管施設、ガイダンス施設ほか各種便益施設の整備、史跡・建造物の購入などに要した地方負担に対し従来よりも交付税措置率の高い地方債の起債が可能となった。

　二点目は、**文化財保護法**に基づく保存活用計画やそれに類する計画に基づく外部人材の活用や人材育成も含む公開活用の取組に要した地方負担分について、特別交付税措置が講じられた。また、地方指定文化財についても、地方文化財保護審議会の承認を経て作成された国指定文化財と同様の保存活用計画に基づくものについて対象とされた。

第4項　文化財保護法整備に係る今後の課題

　このたびの**文化財保護法**の改正は、平成29年に取りまとめられた文化審議会の「文化財の確実な継承に向けたこれからの時代にふさわしい保存と活用の在り方について」（第一次答申）に基づいて措置されたものであるが、当該答申においては、中長期的観点から検討すべき課題として、文化財の保存に関わる人材育成や文化財の周辺環境を含めて一体的に保全する仕組み（いわゆるバッファゾーンの設定など**文化財保護法**における環境保全の規定の具体化）の検討等いくつかの課題を列挙している。

　この中でも文化財の周辺環境も含めて一体的に保全する仕組みについ

ては、平成6年の文化財保護企画特別委員会報告においても、景観・環境をも含めた文化財保護は重要な課題であるとされた。その上で、現行の**文化財保護法**において建造物や史跡名勝天然記念物に関し、その保存に影響を及ぼす行為の制限や、地域を定めて一定の行為を制限する制度はあるものの活用されていないとしてその活用に向けた努力を促している。このことは、文化財の総合的・一体的な把握と保護の必要性とともに文化財保護制度の根幹に関わるものとして、これまで重ねて指摘されてきた事項であり、今後、制度活用に向けた基準の明確化が求められる。

　また、昨今、過疎化や少子高齢化による担い手不足を背景とするだけでなく、新型コロナウイルス感染症の影響を受け、文化財の分野の中でも地域の伝統芸能のような地域コミュニティの中で受け継がれる無形の文化財が消失の危機に直面する事態も生じており、これらの課題への対応に向けた検討も望まれる。

注
1　松田陽「保存と活用の二元論を超えて—文化財の価値の体系を考える—」 小林真理編『文化政策の現在③文化政策の展望』東京大学出版会 2018　30頁
2　文化財保護委員会編『文化財保護の歩み』昭和35年発行351項においては、「文化財と観光の関係は、文化財の保存と活用の関係によく似ている。……社会的な面において両者は手を握り、もちつもたれつの表裏一体の関係にあると言える」と述べる。
3　平成23年の第3次基本方針において「有形・無形の文化芸術資源を、その価値の適切な継承にも配慮しつつ、地域振興、観光・産業振興等に活用するための取組を進める」とされ、平成27年の第4次基本方針において「文化芸術、町並み、地域の歴史等を地域資源として戦略的に活用し、地域の特色に応じた優れた取組を展開することで交流人口の増加や移住につなげるなど、地域の活性化を図る新しい動きを支援し、文化芸術を起爆剤とする地方創生の実現を図る」としている。
4　文化庁の機能強化の工程表は平成28年夏までに、文化庁が内閣官房と調整しながら作成された。（資料3-5参照）

5 平成29年5月、文化財の公開活用を推進するための機能を整備するために構想され、経済財政運営と改革の基本方針2017においてその整備方針が掲げられた。その後、文化審議会での議論を経て、平成30年に国立文化財機構内に文化財活用センターとして発足した。

6 歴史まちづくり法に基づく歴史的風致維持向上計画においては、計画で設定される「重点区域」の核として重要文化財建造物や重要有形民俗文化財等が位置付けられているなど、歴史的風致（注9参照）と文化財とが密接な関連を持つことを前提としていることから、今回の地域計画の法定化に伴い、当該計画と地域計画との調和の保持について特に規定を設けている（第183条の3第4項）。

7 対象となる未指定文化財は、文化財保護法第2条第1項に規定する文化財の定義に含まれるものを想定しており、この点、地方文化財保護審議会への意見聴取を通じて適切に判断される必要がある。

8 国指定文化財の現状変更等の許可等については、その一部の権限が地方公共団体に移譲されているが、小規模市町村の専門的職員の配置などの事務処理体制の状況にかんがみ一定規模以上の市までとしている。今回の制度改正により、認定市町村の希望と実情に応じた事務処理特例を創設した。

9 歴史まちづくり法は、歴史上価値の高い建造物を中心とした歴史的なまちなみと、その周囲で行われる伝統的な工芸品の製造・販売や祭礼行事など地域の歴史や伝統を反映した人々の活動が一体となって形成される良好な市街地の環境を「歴史的風致」として捉え、これを維持するだけでなく、例えば建造物の復元・修理等によって積極的に向上させることを目的とする。これにより、文化財を中核としつつ、従来の指定文化財の保護や土地利用規制だけでは対応が困難だった文化財の周辺環境の整備等にも対応できるようになった。制度の基本的枠組みは、主務大臣の定める歴史的風致維持向上基本方針を踏まえ、市町村が歴史的風致維持向上計画を作成し、国の認定を受けることにより、法律上・財政上の特例措置が講じられる。

10 ただし、地域計画は国指定文化財だけでなく、地方指定文化財や未指定文化財に関する事項も対象としており、国においてそれらの保存・活用等についての一律の方向付けは適当でないことから、国の指針は法定化していない。

11 平成29年9月の調査における、地方自治体における文化財保護主管課及び博物館・埋蔵文化財センター等の職員の配置状況は、都道府県45.2人、指定都市25.8人、中核市21.6人、一般市7.3人、特別区8.8人、町2.4人、村1.7人であり、うち専門的な知識を有する者（重複あり）については、都道府県で美術工芸品4.9人、建造物2.0人、記念物・埋蔵文化財20.5人、民俗文化財1.7人、無形文化財0.4人と記念物・埋蔵文化財分野に偏在し、無形文化財分野の専門家は少ない。

12　令和 3 年の文化財保護法改正により、登録された無形文化財や無形民俗文化財
　　も対象とされた。
13　「文化財の保護に係る重要事項については、長と独立の政治的に中立な教育委員
　　会で処理されるべきで、長の事務部局の補助職員に委任し、処理させることは
　　本条の趣旨に反すると解される」地方自治制度研究会編著『地方自治法質疑応
　　答集』第一法規 1971

巻末資料

（巻末資料1） 文化庁の機構の変遷

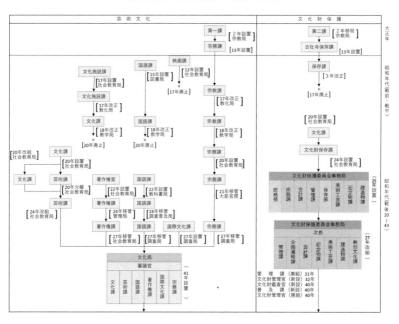

昭和43年　1968年		
6月	15日	文化庁発足 文化庁長官の諮問機関として文化財保護審議会設置
7月	5日	「第1回文化財保護審議会」開催
9月	15日	「文化庁月報」創刊
11月	8日	日米文化教育協力に関する合同委員会の設立に関し、交換公文発効
12月	12日	川端康成氏　ノーベル文学賞受賞
昭和44年　1969年		
6月	11日	「東京国立近代美術館新館」開館
6月	13日	「第1回地方芸術文化振興会議」開催（全国8地区～7月6日）
昭和45年　1970年		
3月	14日	日本万国博覧会開催期間中（～9月15日）万国博美術館で世界の美術展開催。
5月	6日	「著作権法」制定（明治32年制定の旧法を全面改正。翌年1月1日施行。保護期間50年となる。）
5月	27日	「東京国立近代美術館フィルムセンター」開館
11月	14日	ユネスコ総会で「文化財の不法な輸入，輸出及び所有譲渡の禁止及び防止の手段に関する条約」採択
12月	18日	「飛鳥地方における歴史的風土および文化財の保存等に関する方策について」閣議決定
昭和46年　1971年		
3月	30日	第1回著作権審議会開催
4月	28日	「財団法人ユネスコ・アジア文化センター」設立
5月	26日	移動芸術祭・同巡回公演発足
6月	21日	（財）文化財建造物保存技術協会設立、修理技術後継者養成開始
10月	22日	「万国著作権条約パリ改正条約」署名
昭和47年　1972年		
1月	25日	「文学的及び美術的著作物の保護に関するベルヌ条約パリ改正条約」署名
3月	21日	奈良県明日香村の高松塚古墳で壁画発見
4月	21日	「許諾を得ないレコードの複製からのレコード製作者の保護に関する条約（レコード保護条約）」署名
5月	15日	沖縄復帰，首里城跡など55件を文化財に指定
6月	28日	国語審議会「国語の教育の振興について」建議（昭和41年の「国語施策の改善の具体策について」文部大臣からの諮問を受けて）
6月	29日	「芸術文化懇談会」設置
7月	20日	「優秀映画製作奨励金制度」開始
9月	12日	旧近衛師団司令部庁舎重要文化財指定。東京国立近代美術館分室となる（閣議了解）
10月	2日	外務省所管の特殊法人として「国際交流基金」設立
11月	21日	総理府対外経済協力審議会意見「開発協力のための言語教育の改善について」
12月	20日	第二国立劇場（仮称）第1回設立告示準備協議会開催
昭和48年　1973年		
6月	18日	「当用漢字音訓表」「送り仮名付け方」内閣・訓令（昭和47年6月28日，国語審議会「当用漢字改定音訓表」「改定送り仮名の付け方」答申を受けて）
7月	31日	「文化庁のあゆみ」刊行（5年間のあゆみを顧みる）
昭和49年　1974年		
2月	19日	日本語教育推進対策調査会「外国人に対する日本語教育の推進の具体策について」報告

4月	11日	奈良国立文化財研究所に埋蔵文化財センター設置。
4月	20日	「モナ・リザ展」（於東京国立博物館〜6月10日）
5月	27日	中教審「教育・学術・文化における国際交流について」答申
6月	20日	「ベルヌ条約ブラッセル改正条約」公布
8月		「こども芸術劇場」開始
9月	3日	芸術家在外研究員2年派遣第1回

昭和50年　1975年

3月	6日	「文学的及び美術的著作物の保護に関するベルヌ条約パリ改正条約」公布，「世界的所有権機関（WIPO）設立条約」公布
3月	15日	奈良国立文化財研究所に「飛鳥資料館」開館
7月	1日	「文化財保護法」改正（伝統的建造物群保存地区及び文化財保存技術の保護制度の創設等）
7月	31日	文化行政長期計画懇談会第1回会合

昭和51年　1976年

3月		「日本語教育研究協議会」開催開始
5月	4日	選定保存技術第1回選定及び認定を告示
7月	30日	「人名用漢字追加表」内閣告示・訓令
10月	1日	国立国語研究所日本語教育部を「日本語教育センター」に改編

昭和52年　1977年

3月	23日	「文化行政長期総合計画について」（文化行政長期総合計画懇談会まとめ）公表
4月	18日	「第1回こども向けテレビ用優秀映画表彰式」開催
6月	7日	「芸術家国内研修員制度」発足（平成3年度から「芸術インターンシップ」）
7月	31日	「全国高等学校総合文化祭」開始（第1回千葉県）
8月	3日	「万国著作権条約パリ改正条約」公布
8月	29日	第1回地方文化行政担当者研修会開始
10月	15日	「国立国際美術館」開館
11月	15日	「東京国立近代美術館工芸館」開館
11月	25日	「国立民族学博物館」開館

昭和53年　1978年

		「舞台芸術創作奨励特別賞」創設
		この年度までに，すべての都道府県に，文化課又は文化財保護課が置かれる
5月	18日	「著作権法」一部改正（レコード保護条約締結に伴うもの）
5月	26日	「特別史跡平城宮跡保存整備基本構想」策定
5月	15日	「文化行政の歩み　文化庁創設10周年にあたって」刊行
10月	11日	レコード保護条約公布

昭和54年　1979年

3月	22日	国立劇場に「国立演芸資料館」開場
6月	8日	中教審「地域社会と文化について」答申
9月	3日	大平総理が，第88回国会における所信表明演説で「現代は，文化の時代であります」と言及
12月	6日	日中文化交流協定調印

昭和55年　1980年

4月	5日	奈良国立博物館に「仏教美術資料研究センター」設置
7月	1日	京都国立博物館に「文化財保存修理所」設置
7月	11日	「文化の時代研究グループ報告書」政策研究会文化の時代研究グループ（総理大臣の私的諮問機関）報告公表

昭和56年	1981年	
4月	3日	京都国立博物館に「京都文化資料研究センター」設置
4月	14日	大学共同利用機関として「国立歴史民俗博物館」設置
10月	1日	「常用漢字表」内閣告示・訓令（昭和56年3月23日，国語審議会「常用漢字表」答申を受けて）
昭和57年	1982年	
		近現代美術に関する研修会を，文化庁と国立美術館の共催で開催
昭和58年	1983年	
		「地域文化功労者表彰」開始
9月	15日	「国立能楽堂」開場
12月	2日	「商業用レコードの公衆への貸与に関する著作者等の権利に関する暫定措置法」（議員立法）公布
昭和59年	1984年	
		公私立美術館の学芸員を国立美術館に受け入れる研修制度が開始（財）日本国際教育協会及び国際交流基金共催による「日本語教育能力検定試験」開始
2月	1日	東京国立博物館に「資料館」設置
3月	20日	「国立文楽劇場」開場
5月		「中学校芸術鑑賞教室」開始
5月	25日	「著作権法」一部改正（貸レコード規制。暫定措置法は廃止）
昭和60年	1985年	
5月	10日	映画、放送及びレコードの媒体芸術を芸術祭参加公演から独立させ「芸術作品賞」創設
6月	14日	「著作権法」一部改正（コンピュータプログラム）
昭和61年	1986年	
		「日米舞台芸術交流事業」開始
1月	31日	「フィルムセンター相模原分館」新設
5月	23日	「著作権法」一部改正（データベースの著作権保護等），「プログラムの著作物に係る登録の特例に関する法律」公布
7月	1日	「現代仮名遣い」内閣告示・訓令（昭和61年3月6日，国語審議会「改定現代仮名遣い」答申を受けて）
7月	28日	民間芸術活動の振興に関する検討会議まとめ「芸術活動振興のための新たな方途」
9月	26日	アジア・太平洋諸国の民俗芸能を招き「第1回芸術祭国際公演」開催
10月	26日	「京都国立近代美術館新館」竣工
11月	22日	「国民文化祭」開始（第1回東京都）
昭和62年	1987年	
		（財）日本国際教育協会により「日本語教育能力検定試験」開始
4月	2日	「優秀舞台芸術公演奨励」開始
昭和63年	1988年	
		「芸術活動特別推進事業」開始
3月	31日	宗教法人の設立及び規則変更等の認証事務の一層の適正化を各都道府県知事に通達
6月	10日	創立20周年「我が国の文化と文化行政」刊行
11月	1日	「著作権法」一部改正（ビデオ海賊版の取締り、著作隣接権の保護期間延長）
平成元年	1989年	
		「ふるさと歴史の広場」による史跡等の整備開始
		「文化庁長官表彰」開始
		「海外優秀芸術家等招へい事業」開始
		「国民文化国際交流事業」開始

		国際文化交流に関する懇談会（総理大臣の私的諮問機関）最終報告
3月	31日	「国立劇場法の一部を改正する法律」が成立し特殊法人国立劇場が第二国立劇場（仮称）の設置者となる
5月	29日	文化普及課に「地域文化振興室」設置
6月	28日	「著作権法」一部改正（「実演家、レコード製作者及び放送機関の保護に関する国際条約（実演家等保護条約）」締結に伴うもの）
7月	19日	「文化政策推進会議」発足
8月	11日	「ユネスコ文化遺産保存日本信託基金」ユネスコに設置
10月	1日	「優秀映画鑑賞推進事業」開始
10月	3日	実演家等保護条約公布
平成2年　1990年		
2月	14日	「社団法人企業メセナ協議会」設立
2月	20日	文化政策国際会議（西側先進七カ国の高級文化行政官が参加）
3月	30日	「国立劇場法」一部改正，「芸術文化振興基金」創設，「特殊法人国立劇場」から「特殊法人日本芸術文化振興会」に名称変更
6月	7日	「優秀映画作品賞」創設
6月	28日	「海外芸術家招へい研修」開始
平成3年　1991年		
		「地域中核史跡等整備特別事業」創設
		若手芸術家の国内研修機会「芸術インターンシップ制度」創設
5月	2日	「著作権法」一部改正（著作隣接権の保護強化等）
6月	28日	「外来語の表記」内閣告示・訓令（平成3年2月7日，国語審議会「外来語の表記」答申を受けて）
7月	31日	文化政策推進会議「「文化の時代」に対処する我が国文化振興の当面の重点方策について」緊急提言
9月	30日	「日本複写権センター」発足
平成4年　1992年		
5月	27日	「社団法人全国国宝重要文化財所有者連盟」設立
6月	19日	「文化政策推進会議審議状況について」報告
6月	26日	「地域伝統芸能等を活用した行事の実施による観光及び特定地域商工業の振興に関する法律」公布
9月	28日	「世界の文化遺産及び自然遺産の保護に関する条約」公布
10月	1日	法隆寺地域の仏教建造物，姫路城，屋久島，白神山地を世界遺産候補に推薦
12月	16日	「著作権法」一部改正（私的録音録画補償金制度創設）
平成5年　1993年		
4月	16日	「財団法人第二国立劇場運営財団」設立
11月	5日	WIPOアジア地域著作権・著作隣接権セミナー開催
11月	24日	国語審議会に「新しい時代に応じた国語施策の在り方について」諮問
平成6年　1994年		
1月	11日	文化政策推進会議「『文化発信社会』の基盤の構築に向けた文化振興のための当面の重点方策について」提言
4月		「地域日本語教育推進事業」開始（2000年度まで）
6月	10日	芸術祭懇話会「平成7年度（第50回）以降の芸術祭の在り方について」報告
6月	27日	文化政策推進会議「21世紀に向けた文化政策の推進について」報告
7月	1日	「文部省組織令の一部を改正する政令」公布（文化普及課と芸術課の改組による芸術文化課と地域文化振興課の新設）
7月	15日	文化財保護審議会文化財保護企画特別委員会「時代の変化に対応した文化財保護施策の改善充実について」報告

9月	12日	近代の文化遺産の保存・活用に関する調査研究協力者会議発足
11月	1日	「世界文化遺産奈良コンファレンス」開催（奈良文書が採択）
11月	25日	「音楽文化の振興のための学習環境の整備等に関する法律」公布
12月	7日	大江健三郎氏　ノーベル文学賞受賞
12月	14日	「著作権法及び万国著作権条約の実施に伴う著作権法の特例に関する法律の一部を改正する法律」公布（WTO協定締結に伴うもの）

平成7年　1995年

2月	17日	文化財保護審議会答申（特別史跡名勝天然記念物及び史跡名勝天然記念物指定基準の一部改正）
4月		「国語に関する世論調査」開始
4月	1日	第二国立劇場（仮称）の正式名称を新国立劇場に決定，第二国立劇場運営財団が新国立劇場運営財団に名称変更
6月	30日	「宗教法人に関する事務の執行について」（通達）
7月	26日	文化政策推進会議「新しい文化立国を目指して　文化振興のための当面の重点施策について」報告
9月	29日	宗教法人審議会報告「宗教法人制度の改正について」
12月	8日	「接収刀剣類の処理に関する法律」公布
12月	15日	「宗教法人法の一部を改正する法律」公布

平成8年　1996年

		「アーツプラン21」創設（民間芸術等振興費補助金，日米舞台芸術交流事業，優秀舞台芸術公演奨励事業，芸術活動特別推進事業を組替え）
2月	8日	文化財保護審議会答申（国宝及び重要文化財指定基準（建造物の部）一部改正（平成7年10月の「近代の文化遺産の保存と活用について」の報告を受けて））
6月	12日	「文化財保護法」一部改正（文化財登録制度の導入等）
7月	19日	文化財保護審議会答申（登録有形文化財登録基準の制定，国宝及び重要文化財指定基準（歴史資料の文化財）の一部改正）
7月	30日	平成7年の文化政策推進会議の報告を踏まえ，「文化立国21プラン」提言
7月	30日	「21世紀を目指した美術館・博物館の振興方策」（ミュージアム・プラン）取りまとめ
8月	1日	「文化庁・建設省連携推進会議」発足
9月	30日	「埋蔵文化財調査の適正かつ迅速な進め方に関する文化庁・建設省連絡協議会」発足
10月	8日	「文化遺産を活かした街づくりに関する協議会」（文化庁・建設省）発足
11月	5日	「世界遺産フォーラム」開催（姫路市）
12月	26日	「著作権法」一部改正（先進諸国との調和を図るため著作隣接権の保護対象の遡及拡大等）

平成9年　1997年

3月	27日	各都道府県の区域内に所在する文化財につき文化庁長官の権限を各都道府県，指定都市及び中核市の教育委員会へ委任（文化庁告示）
5月	14日	「アイヌ文化の振興並びにアイヌの伝統等に関する知識の普及及び啓発に関する法律」公布
6月	18日	「著作権法」一部改正（インターネットの発達に対応するための改正）
7月	30日	文化政策推進会議「文化振興マスタープラン・文化立国に向けての緊急提言」提出
10月	10日	「新国立劇場」開場
12月	3日	行政改革会議最終報告（文化庁は「政策庁」として整理。「国際文化交流についてより重要な役割を果たす」とされた）

平成10年　1998年

1月	27日	新進芸術家海外研修の成果発表として「DOMANI・明日展」開始
2月	2日	第1回文化庁メディア芸術祭開催

3月	25日	文化政策推進会議「文化振興マスタープラン―文化立国の実現に向けて―」報告
3月	31日	「文化振興マスタープラン」策定
4月	24日	奈良国立博物館に「東新館」開館
6月	10日	「美術品の美術館における公開の促進に関する法律」公布
7月	1日	長官官房に審議官を設置，会計課を総務課に統合，著作権課を文化部から長官官房に移管，国際著作権課を設置
9月	21日	「地域こども文化プラン」策定
11月	27日	「登録美術品登録基準」（文部省告示）公布
11月	30日	第22回UNESCO世界遺産委員会開催（京都市）

平成11年　1999年

3月	25日	「新しい文化立国の創造をめざして　文化庁30年史」刊行
6月	15日	「著作権法」一部改正（著作権に関する世界知的所有権機関条約（WCT）等に対応するため，技術的保護手段の回避・権利管理情報の改変等の規制）
7月	16日	「中央省庁等改革のための国の行政組織関係の法律の整備等に関する法律」及び「文部科学省設置法」公布（文部省と科学技術庁の統合）
7月	20日	東京国立博物館に「法隆寺宝物館」開館
10月	11日	東京国立博物館に「平成館」開館

平成12年　2000年

5月	11日	東京国立文化財研究所に「新館」開所
5月	12日	「著作権法及び万国著作権条約の実施に伴う著作権法の特例に関する法律」一部改正（障害者の著作物利用の権利制限規定の拡充等）
11月	29日	「著作権等管理事業法」公布
12月	8日	国語審議会「現代社会における敬意表現」，「表外漢字字体表」，「国際社会に対応する日本語の在り方」答申（平成5年の諮問を受けて）

平成13年　2001年

1月	6日	文部科学省発足（文化庁は引き続き外局として置かれる）
		総務課を政策課に，国際著作権課を国際課に，美術工芸課を美術学芸課に，文化財保護部を文化財部に改組し，地域文化振興課を芸術文化課に統合
		「文化審議会」発足（国語審議会，著作権審議会，文化財保護審議会，文化功労者選考審査会の機能を整理・統合）
4月	1日	独立行政法人国立美術館，国立博物館，文化財研究所，国立国語研究所設立
4月	16日	文化審議会「文化を大切にする社会の構築について」諮問
4月	25日	「財団法人国立組踊劇場支援財団（仮称）」設立（平成14年3月に「国立劇場運営財団」に名称変更）
11月	16日	文化審議会文化財分科会企画調査会「文化財の保存・活用の新たな展開―文化遺産を未来へ生かすために―」報告
12月	7日	「文化芸術振興基本法」公布・施行

平成14年　2002年

		文化芸術振興基本法を契機に「アーツプラン21」、芸術家養成事業、「こどもの文化活動の推進」等を整理統合し、「文化芸術創造プラン」創設
2月	20日	文化審議会に「これからの時代に求められる国語力について」諮問
4月	24日	文化審議会「文化を大切にする社会の構築について」答申
6月	5日	文化芸術振興基本法に基づき、文化審議会に「文化芸術の振興に関する基本的な方針について」諮問
6月	19日	「著作権法」一部改正（実演及びレコードに関する世界知的所有権機関条約（WPPT）締結等に伴う放送事業者・有線放送事業者への送信可能化権の創設等）
7月	3日	「知的財産戦略大綱」（知的財産戦略会議（総理大臣決裁）決定
7月	3日	「文化財の不法な輸出入等の規制等に関する法律」公布

7月	12日	「実演及びレコードに関する世界知的所有権機関条約」公布
12月	4日	「知的財産基本法」公布
12月	10日	「文化芸術の振興に関する基本的な方針（第1次基本方針）」閣議決定
12月	13日	「独立行政法人日本芸術文化振興会法」公布

平成15年　2003年

		「文化交流使事業」開始
3月	19日	国立劇場に「伝統芸能情報館」開館
3月	24日	国際文化交流懇談会「今後の国際交流の推進について」報告
4月	24日	映画振興に関する懇談会「これからの日本映画の振興について～日本映画の再生のために～」提言
6月	18日	「著作権法」一部改正（映画の著作物の保護期間延長，教育目的の権利制限規定の整備，損害賠償額の算定に関する規定等の整備）
8月	6日	「関西元気文化圏推進協議会」設立総会を開催し，「関西元気文化圏」始動
10月	1日	「特殊法人日本芸術文化振興会」から「独立行政法人日本芸術文化振興会」に移行
11月	10日	第1回「国際文化フォーラム」開催

平成16年　2004年

1月	18日	「国立劇場おきなわ」開場
2月	3日	文化審議会「これからの時代に求められる国語力について」答申（平成14年の諮問を受けて）
2月	3日	文化審議会「今後の舞台芸術創造活動の支援方策について」提言
3月	30日	第1回文化庁映画賞贈呈式
5月	21日	「文化財保護法」一部改正（文化的景観の保護制度創設，民俗技術の保護対象化，文化財登録の拡充等）
6月	4日	「国宝高松塚古墳壁画恒久保存対策検討会」発足
9月	14日	特別史跡キトラ古墳の保存・活用等に関する調査研究委員会が，特別史跡キトラ古墳壁画の全面はぎ取りを決定

平成17年　2005年

2月	2日	文化審議会文化政策部会「地域文化で日本を元気にしよう！」報告
3月	30日	文化審議会へ「敬語に関する具体的な指針の作成」「情報化時代に対応する漢字政策の在り方について」諮問
7月	29日	「文字・活字文化振興法」公布
10月	16日	「九州国立博物館」開館

平成18年　2006年

6月	1日	「文化遺産国際協力コンソーシアム」発足
6月	23日	「海外の文化遺産の保護に係る国際的な協力の推進に関する法律」公布
12月	22日	「著作権法」一部改正（IPマルチキャスト放送による放送の同時再送信の円滑化等）

平成19年　2007年

1月	21日	「国立新美術館」開館
1月	26日	京都国立博物館内に「関西元気文化圏推進・連携支援室」設置
2月	2日	文化審議会「敬語の指針」答申（平成17年の諮問を受けて）
2月	9日	「文化芸術の振興に関する基本的な方針（第2次基本方針）」閣議決定
2月		「生活者としての外国人」のための日本語教育事業開始
4月	1日	独立法人統合により「独立行政法人国立文化財機構」設立
4月	27日	「武力紛争の際の文化財の保護に関する法律」公布
5月	30日	「映画の盗撮の防止に関する法律」公布
7月	25日	「文化審議会国語分科会日本語教育小委員会」設置
9月		第1回日中韓文化大臣会合（中国南通市）

10月	2日	旧文部省庁舎を登録有形文化財（建造物）に登録
10月	30日	文化審議会文化財分科会企画調査会報告（歴史文化基本構想）

平成20年　2008年

1月	5日	文化庁が中央合同庁舎7号館の旧文部省庁舎に移転し業務開始
3月	26日	「文化遺産オンライン」正式公開
5月	23日	「地域における歴史的風致の維持及び向上に関する法律」公布
9月	26日	文化審議会文化財分科会世界遺産特別委員会「我が国の世界遺産暫定一覧表への文化資産の追加記載に係る調査・審議の結果について」報告

平成21年　2009年

3月	30日	文化発信戦略に関する懇談会「日本文化への理解と関心を高めるための文化発信の取組について」報告
3月	31日	「文化芸術立国の実現を目指して　文化庁40年史」刊行
6月	19日	「著作権法」一部改正（インターネット等を活用した著作物利用の円滑化を図るための措置等）
10月	1日	大学共同利用機関法人人間文化研究機構に「国立国語研究所」を移管

平成22年　2010年

7月	20日	「危機的な状況にある言語・方言」に関する取組を開始
11月	30日	「常用漢字表」内閣告示及び「公用文における漢字使用等について」内閣訓令（平成22年6月7日，文化審議会「改定常用漢字表」答申を受けて）

平成23年　2011年

2月	8日	「文化芸術の振興に関する基本的な方針（第3次基本方針）」閣議決定
4月	1日	「海外の美術品等の我が国における公開の促進に関する法律」公布
4月	4日	「展覧会における美術品損害の補償に関する法律」公布
10月	1日	国立文化財機構に「アジア太平洋無形文化遺産研究センター」設置

平成24年　2012年

1月	23日	「日本語教育推進会議」開催開始※
6月	27日	「劇場，音楽堂等の活性化に関する法律」公布
6月	27日	「著作権法」一部改正（いわゆる「写り込み」等に係る規定等の整備）
9月	5日	「古典の日に関する法律」公布

平成25年　2013年

5月	8日	「国立近現代建築資料館」開館
11月	20日	「文化庁及び観光庁の包括的連携協定」締結

平成26年　2014年

3月	28日	「文化芸術立国中期プラン」策定
5月	14日	「著作権法」一部改正（電子書籍に対応した出版権の整備、視聴覚実演に関する北京条約の締結に伴う規定整備）
9月	13日	京都国立博物館に「平成知新館」開館

平成27年　2015年

4月	24日	「日本遺産」を認定
5月	22日	「文化芸術の振興に関する基本的な方針（第4次基本方針）」閣議決定
7月	17日	「文化プログラムの実施に向けた文化庁の基本構想〜2020年東京オリンピック・パラリンピック競技大会を契機とした文化芸術立国の実現のために」発表

平成28年　2016年

3月	7日	「スポーツ庁，文化庁及び観光庁の包括的連携協定」締結
3月	22日	まち・ひと・しごと創生本部決定「政府関係機関移転基本方針」において文化庁の京都移転が決定
4月	26日	「文化庁移転協議会」設置

4月	26日	「文化財活用・理解促進戦略プログラム2020」公表
10月	19日	スポーツ・文化・ワールド・フォーラム開催（～10月22日）
11月	17日	文化審議会「文化芸術立国の実現を加速する文化政策」答申
12月	16日	「著作権法」一部改正（保護期間70年に延長等TPP協定の締結に伴うもの）

平成29年　2017年

3月	1日	「文化経済戦略特別チーム」発足
4月	1日	「文化庁地域文化創生本部」設置
6月	23日	「文化芸術基本法」公布（「文化芸術振興基本法」一部改正）
7月	25日	文化庁移転協議会において組織の大枠，本格移転場所，移転時期の決定
11月	10日	文化芸術基本法に基づき関係省庁による「文化芸術推進会議」発足
12月	8日	文化審議会「文化財の確実な承継に向けたこれからの時代にふさわしい保存と活用の在り方について」（第一次答申）
12月	27日	「文化経済戦略」（内閣官房・文化庁）策定

平成30年　2018年

3月	6日	「文化芸術推進基本計画（第1期）」閣議決定
4月	1日	「国立映画アーカイブ」開館
5月	25日	「著作権法」一部改正（デジタル化・ネットワーク化の進展に対応した柔軟な権利制限規定の整備，教育の情報化に対応した権利制限規定等の整備、マラケシュ条約締結に伴う規定整備等）
6月	8日	「文化財保護法」及び「地方教育行政の組織及び運営に関する法律」一部改正
6月	13日	「障害者による文化芸術活動の推進に関する法律」公布
6月	13日	「国際文化交流の祭典の実施の推進に関する法律」公布
6月	15日	「文部科学省設置法」一部改正（文化庁の機能強化）
7月	1日	（独）国立文化財機構に「文化財活用センター」設置
10月	6日	国民文化祭及び全国障害者芸術・文化祭合同開催（大分県）
12月	14日	「特定興行入場券の不正転売の禁止等による特定興行入場券の適正な流通の確保に関する法律」公布
12月	26日	「日本博総合推進会議（第1回）」（議長：総理大臣）開催

※「日本語教育推進会議」は日本語教育の推進に関する法律に基づくものとして令和元年9月13日に改めて設置された。

索引

参考文献

日高第四郎ほか『新教育基本資料とその解説』学芸教育社　1949

文化財保護委員会『文化財保護の歩み』1960

文部省『学制百年史』帝国地方行政学会　1972

文化庁『文化庁のあゆみ』1973

文化庁編『文化行政の歩み　文化庁創設10周年にあたって』1978

和田勝彦『文化財保護制度概説』1979

文化庁『我が国の文化と文化行政』1988

文部省『学制百二十年史』ぎょうせい　1992

文化庁監修『新しい文化立国の創造をめざして―文化庁30年史―』ぎょ
　　うせい　1999

中村賢二郎『わかりやすい文化財保護制度の解説』ぎょうせい　2007

根木昭編著『文化政策の展開―芸術文化の振興と文化財の保護―』放送
　　大学教育振興会　2007

文化庁監修『文化芸術立国の実現を目指して―文化庁40年史―』ぎょう
　　せい　2009

枝川明敬『文化芸術への支援の論理と実際』東京藝術大学出版会　2015

根木昭・佐藤良子『文化政策学要説』悠光堂　2016

河村建夫・伊藤信太郎編著『文化芸術基本法の成立と文化政策―真の文
　　化芸術立国に向けて―』水曜社　2018

小林真理編『文化政策の現在3　文化政策の展望』東京大学出版会
　　2018

文化庁長官官房政策課監修『新・文化庁ことはじめ　文化庁創立50周年
　　記念式典資料集』2018

著者略歴

中岡 司（なかおか・つかさ）

大阪府出身
京都大学教育学部卒業
昭和58（1983）年文部省入省。文部科学省大臣官房審議官（高等教育局、初
等中等教育局）、文教施設企画部長を経て、文化庁次長を切りに定年退職。
文化庁在職中の約5年間、文化庁の京都移転及びその機能強化に一貫して関
わる。
現在、文化庁機能強化特別アドバイザー、関西大学客員教授、京都市立芸術
大学客員教授、宝塚大学特任教授 他
主な研究分野：教育政策、文化政策
（著書）
・中岡司「第2章 教育政策と教育行政」高見茂・服部憲児編著『教育行政
 提要（平成版）』協同出版 2016 25〜48頁
・中岡司「第5章 国の教育経営—人材育成策を中心として—」高見茂・服
 部憲児編著『教職教養講座第14巻 教育経営』協同出版 2017 71〜86頁
（論文）
・「公立大学改革」『IDE−現代の高等教育』No.488 IDE大学協会 2007
 14〜18頁
・「履修証明と大学の可能性」『IDE−現代の高等教育』No.502 IDE大学協
 会 2008 50〜55頁
所属学会：日本高等教育学会

文化行政50年の軌跡と文化政策

2021年9月1日　　初版第一刷発行

著 者	中岡 司
発行人	佐藤 裕介
編集人	遠藤 由子
発行所	株式会社 悠光堂
	〒104-0045 東京都中央区築地6-4-5
	シティスクエア築地1103
	電話：03-6264-0523　FAX：03-6264-0524
	http://youkoodoo.co.jp/
デザイン	株式会社 キャット
印刷・製本	株式会社 シナノパブリッシングプレス

ISBN978-4-909348-38-8 C0036
©2021 Tsukasa Nakaoka, Printed in Japan